ART ET HISTOIRE
WASHINGTON D.C.

Texte de
BRUCE R. SMITH

Photos de
ANDREA PISTOLESI

EB
BONECHI

D1281660

Distribution by:
Eiron, Inc
POB 40072 Washington DC 20016
phone: (202) 966 3240
fax: (202) 244 0913

Projet et conception éditoriale: Casa Editrice Bonechi
Responsable de publication: Monica Bonechi
Iconographie: Monica Bonechi
Couverture, conception graphique, mise en pages et rédaction: Alberto Douglas Scotti
Plan: Stefano Benini

Texte: Bruce R. Smith
Traduction: Rose-Marie Olivier

© Copyright 1997 by Casa Editrice Bonechi - Florence - Italy

E-mail:bonechi@bonechi.it
Internet:www.bonechi.it

New York Address:
255 Centre Street - 6th Floor - New York, NY 10013 - Tel.: (212)343-1464 - Fax: (212)343-8045

*Les photographies, prises par Andrea Pistolesi, proviennent des Archives Bonechi;
sauf pages 82-83, photos gracieusement fournies par The White House Historical Association, et page 103 en bas, © Fred J. Maroon.*

ISBN 88-8029-763-5

* * *

INTRODUCTION

Mégapolis internationale, centre national de la culture et des arts, cité administrative et place économique hors pair, mosaïque de quartiers aux mille visages: voici ébauché le portrait de Washington, la capitale des Etats-Unis d'Amérique, dans le District de Columbia (D.C.). En la visitant, à bord du Metrorail par exemple, vous pouvez très bien côtoyer l'un de ces hommes de loi ou de ces personnages politiques qui font la renommée de Washington; ou bien, croiser un économiste se rendant à la Banque Mondiale; ou encore, faire la connaissance d'un spécialiste de la recherche spatiale ou d'un grand expert en art africain. En attendant d'entrer au Kennedy Center pour assister à un concert du National Symphony, vous pouvez vous trouver à côté d'un diplomate français, d'un spécialiste en cultures natives américaines de la Smithsonian Institution ou d'un étudiant inscrit à l'un des quelque vingt établissements d'enseignement supérieur de la zone. En flânant le long du Potomac, dans West Potomac Park, vous pouvez rencontrer des membres du personnel du Capitole qui s'exercent au frisbee, des employés de l'Organisation des Etats d'Amérique qui jouent au football américain, des élèves de la quatrième génération de la Smithsonian Institution qui pêchent à la ligne ou des groupes de touristes venus des quatre coins du pays en train de pique-niquer. En matière de gastronomie, à Washington, vous avez le choix entre de nombreuses tables de renommée mondiale et quantité de petits restaurants dont le menu aux plats exotiques évoque le pays d'origine des propriétaires: Afghanistan, Bolivie, Cambodge, Salvador, Ethiopie, Corée, Nicaragua, Vietnam... Ville du Piedmont, à mi-chemin entre la Baie de Chesapeake à l'est et les Appalaches à l'ouest, Washington se distingue par ses styles architecturaux, ses spécialités, ses accents, ses traditions. Pendant des siècles, le territoire qu'occupe actuellement la capitale appartint aux Algonquins, des Indiens qui y pratiquaient la pêche, la chasse et l'agriculture; dans un paysage que l'on peut admirer encore à Rock Creek Park. Cet immense parc, qui s'étire le long de la bordure nord-est de la ville et descend jusqu'au Potomac, traverse l'une des plus grandes carrières indiennes de stéatite, le long de Piney Branch Parkway. La Baie de Chesapeake fut explorée par les Espagnols à la fin du XVIe siècle, mais les premiers colons européens ne s'installèrent dans la vallée du Potomac que plus

tard. En 1608, le capitaine John Smith remonta le fleuve à la voile jusqu'aux Petites Cascades (sans doute la limite de son tirant d'eau) situées à sept kilomètres au nord-est de l'actuel Arlington Memorial Bridge. Pendant ce voyage, il remarqua la présence d'un campement indien, Nacothtank, à l'endroit où se dresse actuellement la ville d'Anacostia, au sud-ouest de Washington. En 1632, un certain Henry Fleete, négociant en fourrures, refit ce voyage et s'arrêta dans un village qu'il appela Tohoga et que l'on situe à proximité de l'actuelle Georgetown. Le village lui plut beaucoup: "Cet endroit est sans aucun doute le plus agréable et le plus sain de toute la contrée; il convient très bien pour s'établir, car l'air y est tempéré en été et point trop violent en hiver". Ces premiers voyages d'exploration ouvrirent la voie aux colons anglais qui y implantèrent d'immenses cultures de part et d'autre du fleuve. Les Indiens furent très vite décimés, comme le disait avec force délicatesse Thomas Jefferson "par la variole, les liqueurs spiritueuses et l'incorporation des territoires". Deux ports, Alexandria en Virginie et Georgetown au Maryland, furent alors fondés pour répondre aux besoins commerciaux des plantations des bords du Potomac. Personne n'aurait imaginé alors qu'ils auraient tous deux été engloutis par une gigantesque métropole. Aujourd'hui, Alexandria et Georgetown sont deux quartiers des plus pittoresques de Washington, ils ont conservé des dizaines de témoignages de leur passé colonial. En 1790, sept ans après que Londres eut accordé leur indépendance aux colonies, un événement vint bouleverser la vie de la région du Potomac: elle fut choisie pour recevoir la capitale de la nouvelle confédération des Etats-Unis d'Amérique. De façon assez prémonitoire, ce choix fut en fait dicté par un compromis politique qui amena à fonder la capitale beaucoup plus au sud que l'auraient voulu certains - comme les habitants de Boston, de New York ou de Philadelphie. Il fallut à Thomas Jefferson et Alexander Hamilton, adversaires politiques aguerris, des heures de discussion enflammée pour trouver un terrain d'entente et résoudre un problème qui - pour quelque temps encore - n'était qu'économique, entre les colonies du nord et celles du sud qui menaçaient l'existence de la nouvelle république. La capitale fut donc fondée sur le site indiqué par le Président Washington, à la

Le **Monument à Washington,** dard de marbre blanc haut de 170 mètres, se reflète dans le marbre noir du **Mémorial de la Guerre du Vietnam.** Le colossal et l'intime s'unissent sur le Mall, centre de la conscience nationale américaine.

confluence du Potomac et de l'Anacostia. Sa construction vit la participation d'une multitude de personnes. Le traçage du réseau urbain fut confié à un ingénieur-géomètre, Andrew Ellicott, assisté du mathématicien américain d'origine africaine Benjamin Banneker. Quant au projet urbanistique, un plan quadrillé entrecoupé de larges avenues convergeant vers des espaces carrés et circulaires, il fut tracé par le Major Pierre Charles L'Enfant, un ingénieur architecte français, ancien combattant de la Révolution, qui avait suivi le Marquis de La Fayette dans le Nouveau Monde. Washington, comme fut appelé le nouveau siège du gouvernement la première année, était en fait la première grande ville érigée de toutes pièces depuis l'époque des Romains. Les plans de L'Enfant répondaient à des critères tant esthétiques que fonctionnels: ''Des boulevards ou des avenues de communication directe'' devaient servir, comme il le disait lui-même, ''à relier les objets séparés et éloignés au principal, et à préserver dans le tout une réciprocité de vues''. Des vues qui produisaient un effet imposant mais permettaient aussi de mieux contrôler les foules. Chose que retint le Baron Haussmann lorsqu'il s'en inspira pour redessiner le plan de Paris, soixante ans après l'exécution de celui de Washington. Mais, pour la portérité, c'est Washington qui s'inspira de Paris.

Le développement de la ville de Washington fut très sérieusement menacé pendant la Guerre de 1812. Cette année-là, les troupes anglaises envahirent ''ce port de démocratie yankee'', comme l'avait appelée le Général Robert Ross, et incendièrent le Capitole, la Maison Blanche et d'autres édifices publics. Un tiers du Congrès

Le **Mémorial de Lincoln** domine la partie ouest du Mall.

Reflecting Pool, un miroir où se reflètent (de gauche à droite) le **Capitole**, le **Monument à Washington**, la **Bibliothèque du Congrès** et le **Smithsonian Castle**.

se prononça alors pour le déplacement de la capitale plutôt que pour sa reconstruction. Mais elle fut reconstruite. En 1842, Charles Dickens visita Washington mais n'y vit que des terrains vagues et des chantiers au point qu'il rebaptisa ''la Cité des Majestueuses Distances'' en ''Cité des Majestueuses Intentions''. Le véritable essor de la ville ne commença que dans les années 1850, mais il ne s'arrêta plus. Rigoureusement exécutés, les plans de Pierre Charles L'Enfant furent ensuite amplifiés. Au XIXe siècle, les hauts lieux originels, comme le Capitole et la Maison Blanche, furent assortis de nouveaux édifices, comme le Monument à Washington, l'Ancienne Poste et le château de la Smithsonian Institution. Puis, au début de notre siècle, Washington s'enrichit encore avec les demeures de Dupont Circle et d'Embassy Row; avec le Federal Triangle, la National Gallery of Art, le Mémorial de Lincoln et celui de Jefferson, dans les années Trente et

Quarante; enfin, avec le Kennedy Center for the Performing Arts, le National Air and Space Museum, le Bâtiment Est de la National Gallery of Art, l'Holocaust Museum et le monuments aux morts des guerres du Vietnam et de Corée. Les dizaines d'immeubles de bureaux - tous d'une hauteur réglementaire fixée par le Congrès en 1910 - qui ont fleuri au centre de Washington et dans le West End hérissent harmonieusement le ciel de la ville et donnent une troisième dimension aux merveilleux plans de Pierre Charles L'Enfant. En deux siècles, Washington a considérablement grandi et très largement dépassé les dimensions originelles (un carré de 16 km de côté) prévues par ses fondateurs; au point de déborder sur le territoire des états voisins du Maryland et de la Virginie. A l'heure actuelle, l'agglomération de Washington compte une population de plus de quatre millions d'habitants sur une superficie de 10,25 kilomètres carrés.

*Espace urbain des plus célèbres au monde, le **Mall** s'étire sur 3,2
km créant au centre de Washington une perspective spectaculaire
que domine le **Capitole** (en bas à droite).*

LE MALL

Parcours officiel des défilés et des parades, panthéon
à ciel ouvert dédié aux héros nationaux, terrain de
sports, de foires et de rencontres, siège de la conscience
nationale: le Mall, l'un des espaces publics les plus
grands d'Amérique, assume démocratiquement toutes
ses fonctions. Son architecte, Pierre Charles L'Enfant,
l'avait conçu comme un lieu ouvert à tous, une
concentration de théâtres, de salles de réunion,
d'académies et ''toutes sortes d'endroits pouvant attirer
les personnes cultivées et divertir les oisifs''. Une
majestueuse avenue de 122 mètres de large, bordée
de grands édifices, devait descendre du Capitole
jusqu'au site du Monument à Washington où elle devait
croiser un autre grand axe libre menant de la Maison
Blanche au Potomac. Ce n'est qu'après une très longue
histoire, semée d'embûches, que le Mall finit par
correspondre à l'attente de son concepteur. En 1791, le
fleuve en crue vint lécher le site monumental. Pendant
la Guerre de 1812, le Mall servit de terrain d'exercice
aux troupes anglaises; tandis que, pendant toute la
première moitié du XIXe, il demeura à l'état brut. Il était
alors coupé du Capitole par un canal malsain et ses
abords traversés par les voies du Baltimore & Pacific
Railroad qui portaient à une gare située à
l'emplacement de l'actuelle National Gallery of Art. En
1855, la construction du château de la Smithsonian
Institution coïncida avec un projet d'aménagement
paysager du Mall qui prévoyait la plantation d'arbres
décoratifs et le traçage de promenades. La Guerre
Civile coupa court à ce projet et le Mall se transforma
en un immense camp militaire. Ce n'est qu'au début du
XXe siècle que l'on exécuta les plans initiaux de L'Enfant
lorsqu'une commission présidée par James McMillan,
Sénateur du Michigan, reprit le plan directeur qui avait
été mis en œuvre par étapes au cours du siècle
précédent. Le Department of Agriculture Building
(1905) fut le premier édifice construit le long du Mall
suivant les plans de la commission. Il fut suivi quelques
années plus tard par le National Museum of Natural
History (1911). La Smithsonian Institution fit ensuite
édifier de nouveaux musées en haut et en bas du Mall:
la National Gallery of Art (1941), le National Museum of
American History (1964) et le National Air and Space
Museum (1976). Le Mall fut ensuite élargi à l'ouest avec
la construction du Mémorial de Lincoln (1911-22) sur
des terrains marécageux assainis. Aujourd'hui, l'espace
monumental du Mall est bien ouvert à tous, ''lettrés et
oisifs''. Il accueille les activités les plus variées des
expertise d'objets d'art aux compétitions de cerf-volant,
des manifestations politiques aux jamboree des scouts.

Les monuments le long du Mall

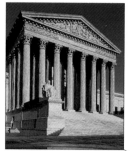
Cour suprême
(page 26)

Le Capitol
(page 11)

**Bâtiment Ouest de
la National Gallery**
(page 31)

**Bâtiment Est de la
National Gallery** *(page 36)*

**Museum of Natural
History. Museum
of Man** *(page 42)*

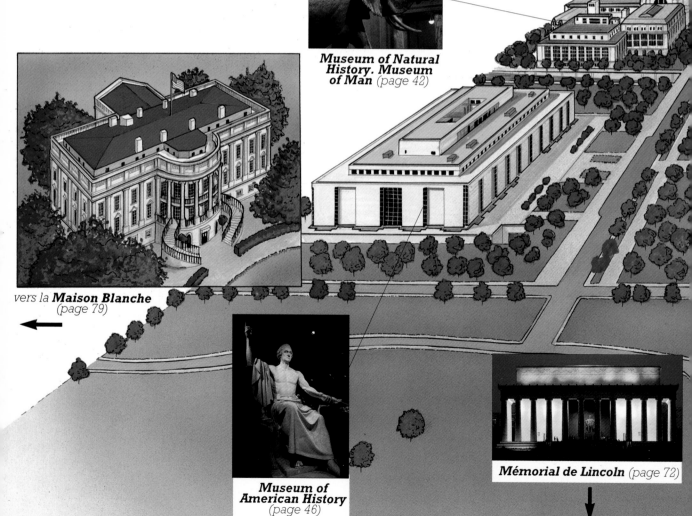

vers la **Maison Blanche**
(page 79)

**Museum of
American History**
(page 46)

Mémorial de Lincoln *(page 72)*

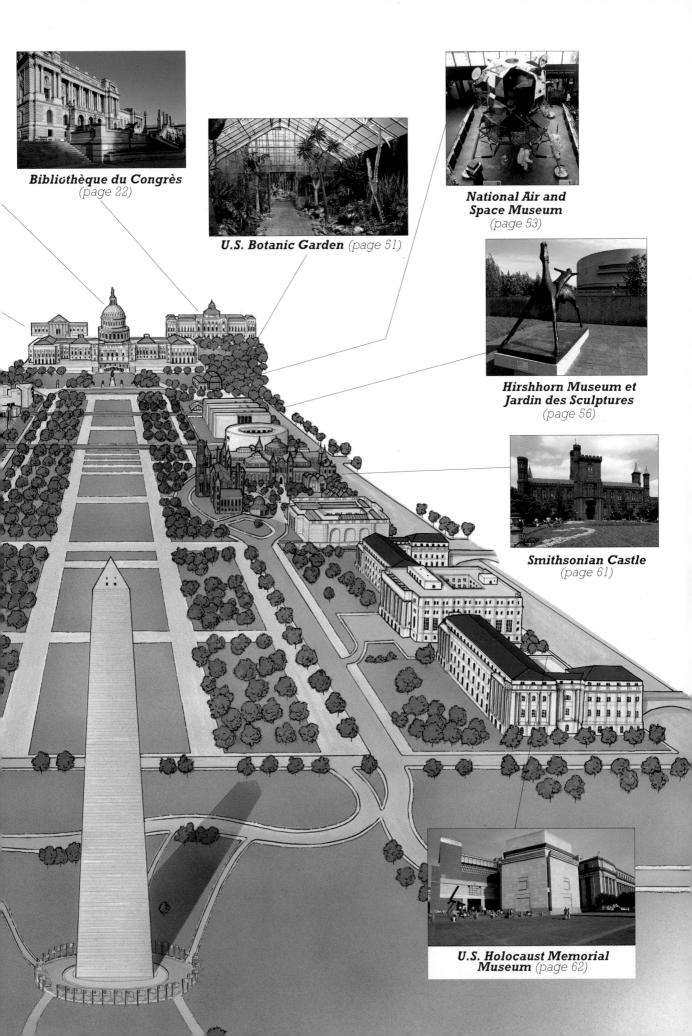

Bibliothèque du Congrès
(page 22)

U.S. Botanic Garden *(page 51)*

National Air and Space Museum
(page 53)

Hirshhorn Museum et Jardin des Sculptures
(page 56)

Smithsonian Castle
(page 61)

U.S. Holocaust Memorial Museum *(page 62)*

La **façade ouest** du Capitole (à gauche) a conservé les murs en pierre du bâtiment d'origine érigé entre 1800 et 1807. Le **dôme** (ci-dessus) fut construit plus tard, pendant la Guerre Civile.

LE CAPITOLE

Où naquirent les Etats-Unis d'Amérique au juste? Pour certains, à Philadelphie, le 4 juillet 1776. Pour d'autres, au bord du Potomac, sur une colline de 27 mètres de haut dénommée Jenkins Hill. Un site qui pour Pierre Charles L'Enfant était "un piédestal attendant son monument", d'où sa décision d'en faire le centre de son projet de nouvelle capitale en 1791. De larges avenues partent en rayons du Capitole dans toutes les directions, comme l'avait voulu L'Enfant, pour faire converger toute l'attention et toute la ville vers un seul point central. C'est ici que les grands axes se croisent et divisent Washington en quatre quartiers: Northeast (N.E.), Southeast (S.E.), Southwest (S.W.) et Northwest (N.W.). Au sens propre comme au figuré, ces avenues convergentes attirent toute la nation vers le Capitole où ont lieu les débats démocratiques qui la concernent. Ces artères sont: Maryland Avenue, venant du nord-est, New Jersey Avenue et Delaware Avenue, venant du nord, et Pennsylvania Avenue, venant du nord-ouest. Sur la grande esplanade ouest du Capitole, l'on peut admirer le Mall en contre-bas, les rives du Potomac et, au-delà des collines d'Arlington, en Virginie, le vaste territoire que conquit la jeune nation.
Dans son état actuel, le Capitole se dresse tel un symbole héroïque de l'engagement des Etats dans l'Union. Sa construction, entamée dans les années 1850, ne fut jamais interrompue pendant la Guerre Civile. Comme disait Lincoln: "Le peuple voit le Capitole grandir... c'est le signe que nous voulons que l'Union grandisse". Erigé au plus fort de la guerre, le dôme du Capitole fut terminé le 2 décembre 1863 lorsque l'on posa à son sommet la statue de la Liberté, de Thomas Crawford; cet événement fut salué par une salve de canons tirée des douze forts entourant la ville assiégée.
L'édifice que nous admirons aujourd'hui fut dessiné par William Thornton, un médecin architecte amateur dont le projet remporta le concours de 1793. Lorsque l'on regarde la façade du Capitole, le dos tourné à la Cour suprême et à la Bibliothèque du Congrès, l'on distingue nettement ses trois éléments: sur la droite, le pavillon du Sénat; sur la gauche, le pavillon de la Chambre des Représentants et, au centre, la rotonde. La construction du Capitole, à partir de l'idée de départ d'une structure à trois éléments, se fit en quatre phases. La **première phase,** la réalisation des plans de Thornton, fut menée avec l'aide du premier architecte professionnel né sur le sol américain, Benjamin

*Les **terrasses ouest** du Capitole (à gauche) furent dessinées par Frederick Law Olmsted à qui l'on doit aussi Central Park de New York.*

*Le **Mémorial de Ulysses S. Grant** (ci-contre) est la deuxième plus grande statue équestre du monde, après celle du Roi Victor Emmanuel à Rome.*

Henry Latrobe. La première pierre fut posée le 18 novembre 1793 par George Washington avec une truelle en argent qui servit longtemps à inaugurer les chantiers importants de Washington et est conservée au Musée Maçonnique. L'on acheva d'abord le pavillon du Sénat (1800) puis celui de la Chambre (1807) qu'on relia au précédent par une galerie couverte en bois en attendant de construire la rotonde dessinée par Thornton. Insérés dans un ensemble beaucoup plus imposant après les travaux d'agrandissement menés au XIXe siècle, ces deux pavillons, coiffés chacun d'une petite coupole, sont visibles de chaque côté du portique central. C'est cet édifice de Thornton et Latrobe que les Anglais incendièrent en 1814 en s'aidant des livres de la Bibliothèque du Congrès.

La **deuxième phase** de construction du Capitole commença après la guerre avec des travaux de restauration des pavillons du Sénat et de la Chambre

*La **façade est** du Capitole montre bien les quatre phases de construction de l'édifice.*

des Représentants et l'ajout de la rotonde centrale. La coupole, de 16,8 mètres de hauteur, fut dessinée par Charles Bulfinch (auteur du dôme du Parlement du Massachusetts à Boston). Le résultat final séduisit même l'écrivain anglais Frances Trollope, connue pour son sarcasme; en 1832, elle confia à ses lecteurs: "la beauté et la majesté du capitole américain défient une plume plus habile que la mienne".

Pendant la **troisième phase** de son histoire, le Capitole prit l'aspect que nous lui connaissons. Dans les années 1850, le Congrès dut passer un marché pour l'agrandissement des locaux devenus trop petits. Thomas U. Walter dessina les ailes destinées à la Chambre des Représentants (terminée en 1857) et au Sénat (1859), encore utilisées à l'heure actuelle. Les bâtiments de Walter doublèrent la longueur du Capitole - de 107 à 227 mètres - et firent perdre de sa majesté au dôme de Bulfinch qui fut remplacé, en 1863, par celui que l'on admire aujourd'hui.

Véritable exploit de l'ingénierie du XIXe siècle, le dôme pèse 4082 tonnes et se compose de deux coques de fonte superposées. Peinte à l'extérieur et à l'intérieur pour imiter le marbre, la structure en fonte offre l'avantage d'être aussi résistante que la pierre mais beaucoup plus légère et souple qu'elle. Des calculs effectués juste après sa construction indiquèrent qu'en fonction des variations de température, le dôme métallique pouvait supporter des dilatations ou des contractions de plus de 100 mm. Pour le réaliser, Walter s'inspira du dôme de la basilique Saint-Pierre à Rome due à Michel-Ange (1546-90), mais surtout du dôme en fonte de la cathédrale Saint-Isaac de Saint-Pétersbourg (1842). Lors de la **quatrième et dernière phase** de la construction du Capitole (1959-60), l'on agrandit l'aile est du pavillon central qui gagna 9,9 mètres; une retouche proposée un siècle plus tôt par l'architecte Walter.

*Les **jardins** du Capitole, aménagés par Frederick Law Olmsted sont merveilleux au printemps.*

Le **dôme** en fonte qui coiffe le Capitole est un chef-d'œuvre
d'ingénierie du XIXe siècle. Au sommet, la **Statue de la Liberté**
de 6 m de haut due à Thomas Crawford.

L'intérieur du Capitole, entièrement couvert de
décorations somptueuses, est coiffé par la grande
rotonde de 29 mètres de diamètre et de 56 mètres
de haut. A la base de ce dais majestueux se déroule
une fresque de 558 m². Il s'agit de ''L'Apothéose de
Washington'' qui représente le premier Président
américain aux côtés de personnifications de la
Liberté, de la Victoire et des Treize Premiers Etats,
ainsi que de la Guerre, de l'Agriculture, de la
Mécanique, du Commerce, de la Marine, des Arts et
des Sciences. Son auteur, l'artiste Costantino Brumidi
(1805-1880), avait travaillé au Vatican avant
d'émigrer en Amérique. Il mourut tandis qu'il
réalisait une autre partie de la décoration de la
rotonde, la frise circulaire en grisaille qui décore les
murs à 23 mètres au-dessus du sol. Parmi les
gigantesques œuvres à hauteur d'homme figurent
quatre peintures de John Trumbull (1756-1843), aide
de camp du Général Washington et témoin de
certains des événements épiques qu'il représenta.
Au nord de la grande rotonde se trouve l'Ancienne

*L'**Apothéose de Washington,** une fresque signée Costantino Brumidi, orne l'intérieur du dôme.*

*Le **Hall des Statues** (ci-dessus) et l'**Ancienne Chambre du Sénat,** deux éléments importants hérités du tout premier édifice.*

Chambre du Sénat où retentirent les discours légendaires de John C. Calhoun, Henry Clay et Daniel Webster. La Cour suprême siégea dans cette salle de 1860 jusqu'en 1935 quand elle s'installa de l'autre côté de l'avenue. Dans la petite rotonde, à l'extérieur, l'on peut admirer l'une des plus belles œuvres du Capitole: les colonnes dessinées par Latrobe qui remplaça les classiques feuilles d'acanthe du style corinthien par des plantes américaines (maïs, tabac et coton). L'on trouve ensuite la Nouvelle Chambre du Sénat. Au sud de la rotonde, sur le parcours qui mène à la Nouvelle Chambre des Représentants, se trouve l'Ancienne Chambre Basse qui fit office de Hall Statuaire à compter de 1864. Chaque Etat de l'Union envoya au Capitole la statue de deux de ses grands hommes dont l'une est exposée dans cette salle. Au sol, une étoile en bronze indique l'endroit où le Président John Quincy Adams, frappé par une attaque, s'effondra en 1848.

BIBLIOTHEQUE DU CONGRES

La façade en granite un peu austère de la Library of Congress, édifice qui rappelle beaucoup l'Opéra de Paris, cache l'un des intérieurs les plus somptueux de tout Washington. Instituée par le Congrès en 1800, la bibliothèque fut d'abord une collection d'ouvrages de référence strictement réservée aux sénateurs et aux membres du Congrès. Mais, le temps qu'elle s'installe dans ses locaux actuels, en 1897, la Bibliothèque du Congrès était devenue l'équivalent américain de la British Library ou de la Bibliothèque Nationale. A l'intérieur, elle proclame la suprématie des institutions sur l'empire de la connaissance. Dans le grand hall d'entrée, une énorme verrière éclaire de riches mosaïques multicolores qui parent les voûtes du plafond et le sol. Des putti sculptés représentant les arts et les sciences (par exemple, l'Electrotechnique tenant un téléphone) escortent le visiteur qui, après avoir gravi de superbes escaliers en marbre, découvre un chef-

*Si l'**extérieur** pompeux de la Bibliothèque du Congrès (cette page) attire bien des critiques, l'**intérieur** (à droite) émerveille la plupart des visiteurs.*

d'œuvre allégorique en pénétrant dans la grande salle de lecture, une rotonde de 30,5 m de diamètre sous un dôme de 49 m de hauteur. L'ordinateur a, bien sûr, remplacé les anciens classeurs à fiches dans cette bibliothèque qui accueille plus de 75 millions d'ouvrages sur des rayonnages comptabilisant 563 km! En fait, elle n'occupe pas seulement le bâtiment principal, le Jefferson Building, mais également deux structures adjacentes: l'Adams Building, style art déco (1939) et le Madison Building, post-moderne (1980).

La décoration exubérante de la bibliothèque, avec ses **sculptures,** *ses* **dorures,** *ses* **fresques** *et ses* **mosaïques** *(cette page) culmine dans la* **grande salle de lecture** *(à droite).*

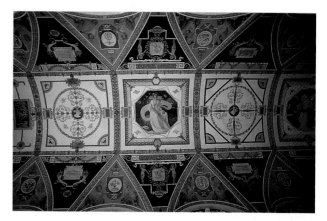

*Les principes stylistiques de la Rome antique et l'idéalisme américain sont réunis dans le majestueux **portique de la Cour suprême.***

*L'**ornementation sculpturale** de la Cour suprême (à droite) mêle personnages historiques, dont un portrait de l'architecte, et représentations allégoriques.*

COUR SUPREME

Siège du pouvoir judiciaire du gouvernement fédéral, comme le Capitole est le siège du pouvoir législatif et la Maison Blanche celui du pouvoir exécutif, la Cour suprême occupe un majestueux édifice en marbre juste en face de la façade est du Capitole. Avec ses superbes colonnes corinthiennes, cet édifice ressemble à un temple romain dont la frise exhibe pourtant une inscription dédicatoire bien actuelle et bien américaine: "Egale Justice dans la Loi". Son fronton est orné de bas-reliefs représentant la Liberté, l'Ordre et l'Autorité flanqués de personnages ayant réellement vécu qui personnalisent le Conseil et la Recherche. Parmi ceux-ci, William Howard Taft, le seul américain à avoir mené de front les fonctions de Président des Etats-Unis et de Président de la Cour suprême, et Cass Gilbert, l'architecte. Deux imposantes statues par James Earle Fraser flanquent l'escalier monumental, à gauche, la Contemplation de la Justice, et à droite, l'Autorité de la Loi. Après plusieurs sièges temporaires, y compris l'Ancienne Chambre du Sénat du Capitole, la Cour suprême s'installa dans ses propres locaux en 1935.

EQUAL·JUSTICE·UNDER·LAW

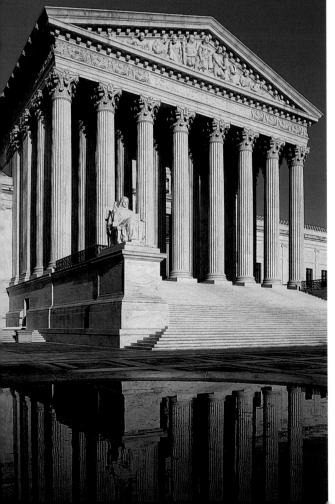

*La Fontaine du **Mémorial de Christophe Colomb** de Lorado Taft (1908) domine l'esplanade face à la gare Union Station.*

*L'**intérieur voûté** de la gare fut inspiré par les thermes de Dioclétien à Rome.*

UNION STATION

Hommage aux grands événements historiques, centre ferroviaire très actif, galerie marchande et centre récréatif: la gare Union Station - qui vient d'être restaurée - remplit toutes ces fonctions. Construite pour réunir plusieurs petites gares, d'où son nom, Union Station fut inaugurée en 1908 et a accueilli depuis lors Présidents, Chefs d'Etat en visite, vedettes de cinéma, victimes héroïques et sportifs de renom; et puis, les milliers de soldats de la Première et de la Deuxième Guerre Mondiale et les millions de citoyens venus à Washington pour assister à une cérémonie officielle ou pour manifester. Parmi les grands qui ont foulé ses quais, citons Charles Lindbergh, Mary Pickford, Georges Clémenceau, Sir Winston Churchill, la Reine Elisabeth II, Nikita Khrouchtchev, l'Empereur Hailé Sélassié et les Beatles. C'est d'ici que partit le train qui, en 1945, transporta la dépouille de Franklin D. Roosevelt à Hyde Park, New York. Le trafic ferroviaire a bien diminué depuis l'âge d'or des chemins de fer - dans les années Vingt et Trente l'on comptait jusqu'à 200 trains par jour - mais Union Station est encore une gare très animée avec son trafic de banlieue et de correspondance avec les gares du couloir Washington-Boston. On la fréquente surtout pour ses boutiques, ses bars, ses restaurants et ses salles de cinéma aménagées sous les voûtes. Version Beaux-Arts des thermes romains de Dioclétien, son architecture est due à Daniel H. Burnham, directeur des travaux de la Columbian Exposition de Chicago en 1893. Christophe Colomb, dont le voyage de 1492 inspira l'exposition de Chicago, domine l'esplanade de la gare du haut d'une fontaine monumentale œuvre de Lorado Taft. Après avoir franchi les arcs triomphaux du portique, l'on arrive dans l'un des plus grands espaces publics de tout Washington. Une gigantesque voûte en berceau, creusée de superbes caissons et décorée à la feuille d'or, coiffe un hall de 56.600 mètres cubes utilisé autrefois comme salle d'attente. L'ancienne salle d'attente de première classe accueille des boutiques alors que l'ancienne Suite Présidentielle, réservée au Président et aux visiteurs de renom, a été transformée en restaurant, très élégant.

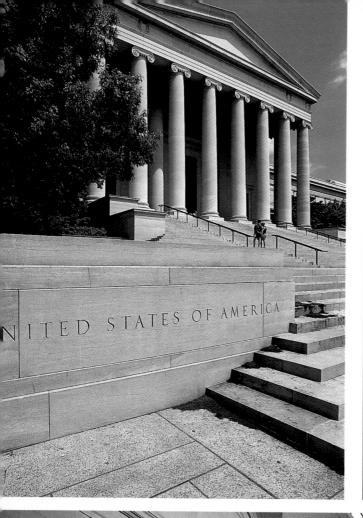

NATIONAL GALLERY OF ART

Ce musée qui est le plus jeune des grands musées mondiaux d'art occidental doit son existence à la volonté, à la collection personnelle et aux financements d'un américain, Andrew W. Mellon (1855-1937). Le National Institute, hôte de l'Office des Brevets, fut créé pour accueillir un fond hérité en 1841 par le gouvernement fédéral. Il s'agissait d'une petite collection hétérogène de tableaux qui, à l'époque de Mellon, était visible à côté des squelettes de dinosaures, des gemmes prodigieuses et des poteries indiennes au Museum of Natural History. Simple particulier, Mellon eut une idée ambitieuse qu'il voulut mener à bien: créer une galerie de chef-d'œuvres européens pouvant rivaliser avec la National Gallery, le Louvre, les Uffizi, le Kunsthistorisches Museum et le Prado; dans un cadre qui n'aurait rien à envier à ses homologues européens. Ainsi naquit la National Gallery of Art. Inauguré en 1941, le Bâtiment Ouest du musée est, avec le Mémorial de Jefferson (1943), le dernier grand édifice néoclassique érigé à Washington. Ils furent tous deux dessinés par John Russell Pope. A l'extérieur, le marbre rose provenant du Tennessee décline ses cinq tonalités différentes: de la plus foncée, au niveau du sol, à la plus claire, dans le dôme. A l'intérieur, la rotonde - construite sur le modèle du Panthéon de Rome - semble pivoter autour d'une statue gracieuse et aérienne de Mercure, œuvre de Giambologna, sculpteur flamand du XVIe siècle. Sous la rotonde, s'ouvrent est-ouest de grands couloirs qui portent à une centaine de salles.

Andrew Mellon, issu d'une riche famille de banquiers ayant fait fortune dans le charbon, le coke et le fer, acheta sa première toile à l'âge de 27 ans lors d'un voyage à travers les capitales artistiques européennes en compagnie d'une autre jeune millionnaire de Pittsburgh, Henry Clay Frick. Grand amateur d'art, il était surtout attiré par les maîtres du XVIIIe siècle et antérieurs. Lorsqu'il céda sa collection à son pays, c'était un trésor de 126 tableaux et 26 sculptures accumulés avec amour et regroupés dans une galerie construite à cet effet. Cette donation est en fait la plus grande qu'un particulier ait jamais faite à un gouvernement. C'est en 1931, quand Staline se défit des toiles des collections recueillies par Catherine II au palais de l'Ermitage à Saint-Pétersbourg, que Mellon acquit les plus belles toiles de sa collection.

*C'est à la générosité des particuliers et non à la richesse de quelque famille royale que l'on doit l'**une des plus grandes collections d'art européen et américain.***

*Les canons stylistiques du **Panthéon** de Rome sont traduits ici par le marbre rose du Tennessee.*

Les tableaux de la Collection Samuel H. Kress, dont "Marie Reine du Ciel" peinte par le maître néerlandais de la Légende de Sainte Lucie (en bas à gauche, au milieu), constituent le cœur de la **Collection d'art médiéval et du début de la Renaissance.**

La beauté de cette **Vénus en bronze,** attribuée à Francesco Brambilla, attire les visiteurs de la galerie.

Trois trésors - l'"Adoration des Mages" de Botticelli, "Saint Georges et le dragon" et la "Madone à l'Enfant avec Saint Jean" de Raphaël - vinrent enrichir la collection à cette époque. Le dernier tableau cité, également appelé Alba Madonna du nom de son précédent propriétaire le Duc d'Alba, se distingue en ceci qu'il fut la première toile vendue plus d'un million de dollars à un collectionneur.

En informant le Président Roosevelt de son désir de créer un musée national américain, Mellon formula le vœu "qu'il attire des dons de la part d'autres citoyens désireux à l'avenir de céder des œuvres d'art... pour constituer une grande collection nationale." C'est exactement ce qui se produisit. La Collection Kress d'art italien, dont des primitifs, avait déjà rejoint la Collection Mellon lorsque la National Gallery ouvrit ses portes en 1941. Des legs très importants suivirent, comme la Collection Joseph Widener dont les Rembrandt, Vermeer et Greco se placent parmi les chef-d'œuvres du musée; la Collection Chester Dale qui apporta des toiles majeures de Monet, Cézanne, Gauguin, Degas, Renoir, Mary Cassatt, George Bellows et Picasso. Pour sa part, Lessing J. Rosenwald offrit le véritable fond du département des estampes et des dessins tandis que des collectionneurs privés, léguèrent encore de nombreuses œuvres, dont la fille d'Andrew Mellon, Aisla Mellon Bruce, et son fils Paul Mellon. Avec ses acquisitions plus récentes, la National Gallery of Art a confirmé son attachement premier aux maîtres anciens: en 1967, elle a ainsi acquis le "Portrait de Ginevra de' Benci", seul tableau de Léonard de Vinci exposé dans l'hémisphère ouest. Ceci ne l'a nullement empêché d'élargir son domaine et de présenter l'art du XIXe et du XXe, ainsi que des œuvres d'artistes vivants. Ses expositions spéciales comptent parmi les manifestations culturelles majeures de Washington chaque saison.

Parmi les chefs-d'œuvre de la National Gallery figurent (sens horaire à partir de ci-dessus) "Fillette à l'Arrosoïr" (1876) par **Auguste Renoir,** "La Mousmé" (1888) par **Vincent Van Gogh**, "Quatre Danseuses" (1899 env.) d'**Edgar Degas**, "La Mort de Sainte Claire" (1410 env.) par le **Maître de Heiligenkreuz**, "Femme à l'Ombrelle - Madame Monet et Son Fils" (1875) par **Claude Monet** et "Le Vieux Musicien" (1862) par **Edouard Manet**. La National Gallery doit sa création à l'idée, à la collection privée et à l'argent d'un particulier, Andrew W. Mellon (1855-1937).

Pour le **Bâtiment Est de la National Gallery**, l'architecte
I. M. Pei a fait appel à des **pyramides de verre** similaires à
celles qu'il installa plus tard dans la cour du Louvre.

Parmi les **œuvres sculptées** commandées pour le Bâtiment Est,
l'on trouve (ci-dessus) ''Orniforme'' (1977) d'après un dessin de
Jean Arp et (ci-dessous) ''Ledge Piece'' (1978) d'Anthony Caro.

BATIMENT EST DE LA NATIONAL GALLERY OF ART

Lorsque la National Gallery of Art ouvrit ses portes
en 1941 elle ne comptait, comme quelqu'un
s'était amusé à calculer, que 59,3 œuvres d'art à
l'hectare: des salles entières du musée étaient vides.
Mais les donations affluèrent et la période artistique
fut élargie aux artistes du XIXe siècle; de sorte que,
dans les années Soixante, ses salles étaient combles.
Andrew Mellon, qui avait tout prévu, même
l'engorgement de son musée, avait assorti sa
donation d'un terrain réservé à son agrandissement.
La forme étrange du terrain, un trapèze délimité par
l'intersection de l'Avenue Pennsylvania et des autres
artères, son emplacement à l'endroit où le Mall
rencontre Capitol Hill et le style néoclassique du
bâtiment de John Russell Pope furent autant de défis
pour I.M. Pei, l'architecte chargé des travaux. Il
trouva une solution génialement simple en divisant le
terrain trapézoïdal en deux triangles: l'un destiné
aux nouvelles salles du musée et l'autre aux
bureaux, aux locaux techniques et à la grande
bibliothèque de consultation. Le nouveau bâtiment

fut inauguré en 1978. L'œuvre de Pei est entièrement
axée sur une forme: le triangle. La place qui sépare
la partie ancienne du musée, appelée West Building,
et la partie moderne, appelée East Building, couvre
un passage souterrain dont l'éclairage est assuré par
des pyramides de verre - un avant-goût de celles
que l'architecte installera plus tard au Louvre. Des
tours polygonales fixent le bâtiment au sol.
D'immenses surfaces planes de marbre rose (issu
de la même carrière que celui de l'ancien bâtiment)
s'unissent à angles aigus. Lorsque l'on se promène à
pied ici, on a l'impression de voir les surfaces
bouger et basculer les unes par rapport aux autres.
A la pointe de l'un des triangles, à main droite de
l'entrée, l'angle de rencontre des surfaces planes est
si aigu (à peine 19 degrés) qu'on croirait voir une
feuille de papier, de 32,5 mètres de haut! C'est, en
fait, parce que l'on a comme repère une sculpture
énorme.
A l'intérieur du Bâtiment Est ce sont encore les
triangles qui dictent les espaces, atrium et verrières

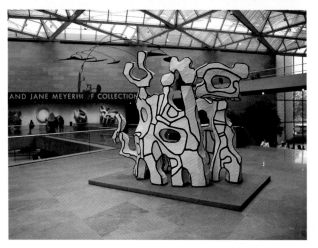

*Les **espaces triangulaires** à l'intérieur du Bâtiment Est (ci-dessus et à gauche) offrent un cadre dynamique à de nombreux objets fixes, comme (ci-dessous) le **"Site à l'Homme Assis" de Jean Dubuffet** (1969-84).*

*Un **mobile sans titre d'Alexander Calder** (ci-dessus), réalisé sur commande pour le Bâtiment Est, bouge lentement dans l'atrium, tandis qu'en bas (ci-dessous) **"The Dancers" de George Segal** (1971 et 1982) forment une ronde.*

sont des pyramides creuses. Pei lui-même fit remarquer que l'attrait du bâtiment réside dans le fait que chaque zone, à l'intérieur et à l'extérieur, possède non pas deux mais trois axes, non pas deux mais trois points de fuite. Résultat pour la plupart des visiteurs: une sensation de mouvement. Cet effet est amplifié par un mobile réalisé spécialement par Alexander Calder, bleu et orange, long de 26 mètres, il tourne lentement dans l'espace ouvert et lumineux. Une tapisserie de Joan Miró, commandée elle aussi comme œuvre permanente, crée un contraste textural riche avec le marbre rose poli des murs et du sol. Des galeries de différentes formes et dimensions s'ouvrent sur l'atrium. Le Bâtiment Est accueille la majeure partie de la collection d'art moderne et contemporain de la National Gallery ainsi que des tableaux plus anciens. Chaque année, une série d'expositions spéciales occupe les salles prévues à cet effet. Avec ses expositions permanentes et temporaires, aménagées dans l'un des espaces architecturaux les plus intéressants au monde, le Bâtiment Est compte parmi les musées les plus visités d'Amérique.

*Cette **Tutelle sculptée par James Earle Fraser** se dresse à l'entrée des Archives Nationales du côté Constitution Avenue.*

*Les salles présentent les manuscrits originaux des documents fondamentaux du système politique américain, comme la **Constitution** (ci-dessous).*

ARCHIVES NATIONALES

Les originaux de la Déclaration d'Indépendance (1776), de la Constitution des Etats-Unis d'Amérique (1787) et de ses Amendements de 1791 (Bill of Rights) poussent chaque année des millions de personnes à franchir les portes de ce gigantesque mausolée érigé par Russell Pope en 1935 pour accueillir les manuscrits, lettres, cartes, documents officiels, journaux personnels, photos, journaux, registres de navigation, films, partitions, microfilms, enregistrements en tous genres produits par le gouvernement des Etats-Unis et ses citoyens de renom en deux siècles. Les trois trésors des archives sont visibles dans la salle monumentale où ils sont présentés sous verre de sécurité et en atmosphère d'hélium inerte. En fin de journée, un système automatique escamote les documents qui sont protégés pour la nuit dans une cellule blindée. Ce n'est que depuis 1952 que les trois documents constitutifs de la nation américaine sont réunis sous un même toit. L'on vient également aux Archives Nationales pour d'autres motifs, plus personnels, car c'est ici que se trouvent les registres de recensement remontant à 1790, les registres de service militaire et les listes des passagers. Généalogistes professionnels et amateurs peuvent ainsi retracer l'histoire des familles américaines.

*Erigé en 1911, le **Museum of Natural History** fut l'un des premiers édifices du XXe siècle qui permirent de réaliser les plans initiaux de Pierre Charles L'Enfant pour le Mall.*

*Rayonnant à partir de la **rotonde centrale**, les couloirs portent aux trois secteurs du musée: anthropologie, biologie et géologie.*

NATIONAL MUSEUM OF NATURAL HISTORY
NATIONAL MUSEUM OF MAN

L'aspect impérial des bâtiments qui abritent le National Museum of Natural History (Musée National d'Histoire Naturelle), terminé en 1911, sied parfaitement à une collection qui fait autorité dans trois domaines scientifiques - anthropologie, biologie et géologie - et rassemble des spécimens du monde entier. Une collection qui compte 121 millions de pièces! Après être entrés dans la rotonde qui culmine à 38 mètres et où les attend un éléphant de 8 tonnes (le plus grand éléphant d'Afrique tué de mémoire d'homme) les visiteurs peuvent se diriger vers les couloirs des trois étages qui les portent aux différents domaines de connaissance. Dans la Section Biologie, le musée présente des restes de végétaux et d'animaux antérieurs à l'homme. L'on passe de minuscules insectes figés dans l'ambre à de gigantesques os de dinosaure - comme le Diplodocus, un reptile dinosaurien de près de 25 mètres de long. Parmi les fossiles, le plus ancien est un agglomérat de la grosseur d'un chou constitué de micro-organismes datant de quelque 3,5 milliards d'années. Le musée présente aussi des spécimens d'animaux actuels, dans des décors naturels restitués. Après les espèces d'Amérique du nord, comme l'élan du Canada, le caribou, la chèvre des neiges, le grizzli et le puma, l'on passe aux espèces d'Afrique, puis aux espèces d'Asie, chacune ayant sa zone propre. Des oiseaux de tous les climats semblent scruter les

visiteurs qui peuvent ici observer de près des pingouins. Parmi les nombreux modèles d'espèces aquatiques présentées figure une baleine bleue de 28 m de long. Dans les années 1880, pour faciliter la tâche des taxidermistes qui devaient reconstituer les espèces en voie de disparition, l'on commença à garder quelques spécimens vivants dans des enclos et des abris derrière le château de la Smithsonian Institution. Ces animaux en captivité devinrent si chers aux visiteurs qu'un zoo permanent fut créé. En 1889, les animaux du zoo - dont six bisons que l'on faisait paître sur le Mall - furent transportés dans le Rock Creek Park sur un terrain de 66 ha qui devint Zoo National. ''Amazonia'', la reconstitution d'une forêt pluviale où les animaux vivent en liberté, est représentative de la nouvelle définition de BioPark qui met l'accent sur l'interdépendance naturelle de toutes les formes de vie. La Section Géologie du musée est d'une richesse inouïe: stalactites et stalagmites des grottes les plus célèbres d'Amérique, minéraux de toutes sortes et de tous les pays, météorites venus d'ailleurs. Pour la plupart des visiteurs, les ''vedettes'' de cette section sont dans la collection de pierres précieuses qui compte des exemplaires uniques. C'est ainsi que l'on peut admirer un rubis de 138 carats, une émeraude de 157 carats, un topaze de 234 carats et un saphir de 330 carats. Mais surtout un

Les **reconstitutions** et l'aménagement spécial des vitrines du musée transforment le savoir scientifique en réalité visible, audible, voire même tangible.

La **Collection de fossiles** du Museum of Natural History remonte jusqu'à l'aube de la vie aquatique, il y a 3,5 milliards d'années.

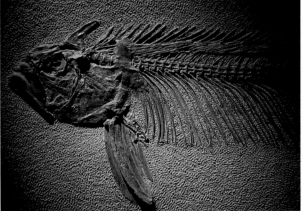

diamant, le Hope Diamond, qui avec ses 49,5 carats est le plus gros diamant bleu du monde. Enfin, la Section Anthropologie est devenue musée à part entière depuis peu sous le nom de National Museum of Man (Musée National de l'Homme). Les visiteurs peuvent y voir de près des squelettes et des objets manufacturés de différentes civilisations du monde, comme une hache du Kenya datant de 700.000 ans. Les décors, de grandes fresques et des diaporamas, permettent de replacer les objets dans leur environnement naturel et leur contexte social pour mieux les comprendre. Le musée possède une très riche collection d'objets manufacturés des populations indigènes d'Amérique du Nord et du Sud. Il organise des expositions spéciales mettant tour à tour l'accent sur certaines cultures et réunissant des objets empruntés aux collections anthropologiques de musées du monde entier. En outre, lors du Folklife Festival qui se tient tous les ans en juillet sur le Mall, la Smithsonian Institution invite à Washington des représentants d'une ou de plusieurs cultures et traditions ethniques du riche patrimoine américain qui, pendant une semaine, font découvrir leur histoire, leurs légendes, leurs danses, leur musique, leur cuisine et leur artisanat traditionnel.

MUSEUM OF AMERICAN HISTORY

Au départ, la Smithsonian Institution fut créée pour l'étude de l'histoire naturelle, ce qui était tout à fait conventionnel à la moitié du XIXe siècle; mais, peu à peu, elle accumula un matériel d'une telle variété qu'elle fut baptisée ''le grenier de la nation''. Elle commença par accueillir la collection de maquettes de l'Office des Brevets; puis, le Congrès y entreposa du matériel qui était resté de l'Exposition du Centenaire de Philadelphie en 1876 et, sans réserves, ses collections continuèrent à s'entasser. Le Musée de l'Histoire Américaine fut fondé en 1964. L'on y trouve de tout, du dentier de George Washington, aux petits souliers rouges que portait July Garland dans ''Le Magicien d'Oz''; de la première ampoule d'Edison au plus gros bloc d'anthracite jamais extrait de terre; de l'automobile Model T d'Henry Ford à la chaise sur laquelle s'asseyait Archie Bunker dans son feuilleton télévisé; et encore, des centaines d'objets de ménage remontant à l'époque coloniale, un gant de base-ball ayant appartenu à Frankie Robinson, une vraie diligence, des linotypes, des navires de guerre du XVIIIe, des modèles des tout premiers ordinateurs et une statue d'Horatio Greenough (1840) représentant

Le ''grenier de la nation'' abrite entre autres une statue de **Washington en romain** *(ci-dessus) qui trôna dans la rotonde du Capitole jusqu'à ce qu'il fasse craquer le plancher, et les spectacteurs irrévérencieux, et des* **Monuments au progrès technique,** *comme la collection de presses typographiques ci-dessous.*

*Différents types de **bateaux** sont exposés dans la section consacrée aux transports où sont également visibles des automobiles d'époque, des locomotives à vapeur et une voiture à voyageurs datant de 1836.*

*Les **intérieurs d'époque reconstitués** présentent des objets d'usage courant dans leur contexte et permettent de mieux les comprendre.*

George Washington drapé à l'antique qui n'a trouvé sa place nulle part ailleurs. Un inventaire qui serait un peu fou s'il n'avait un fil conducteur. On le saisit dès l'entrée où, dans l'immense galerie, l'on se trouve face au grand drapeau déchiré sur le champ de bataille (il inspira le célèbre poème de Francis Scott Key) et à une reproduction du pendule de Foucault (109 kilos suspendus à une tour haute de quatre étages) qui, lentement et immuablement, tourne et démontre que la terre tourne. Voilà donc le thème de ce musée: l'Amérique face au temps. Les différentes salles représentent des restitutions de décors et d'ameublement d'époque qui servent de contexte aux objets exposés. L'on peut littéralement se promener dans certains de ces décors et participer à la reconstitution historique. Par exemple, dans le bureau de poste rural ou au drugstore année 1910 où l'on peut même consommer un soda. La variété extrême des expositions est conçue pour attirer le public le plus vaste. Avec ses expositions temporaires, le musée peut sortir de plus en plus d'objets de son grenier et les faire voir.

*Le petit matin jette sur le **Capitole** et la base du
Monument à Washington une lumière superbe.*

*Les serres en verre et aluminium du jardin botanique
recréent un milieu idéal pour les plantes du monde entier,
comme la célèbre **Collection de cactus.***

UNITED STATES BOTANIC GARDEN

La façade de pierre du jardin botanique, qui imite
l'orangerie d'un château français du XVIIe siècle,
introduit les visiteurs dans un gigantesque jardin
d'hiver dont les serres associent verre et aluminium.
A l'époque où elles furent construites, en 1931, elles
étaient les plus grandes du genre au monde. Des
dispositifs de régulation pointue de la température et
de l'humidité permettent de réaliser les conditions
idéales requises pour cultiver les plantes exotiques.
C'est ainsi que le jardin botanique peut se targuer
d'avoir de superbes collections d'orchidées, de
bégonias, de cactus, de palmiers, de broméliacées,
d'épiphytes, de plantes carnivores et de cycas. Ces
dernières, qui ont survécu depuis l'âge des
dinosaures, ont des graines grosses comme des œufs
de poule. Avec ses 12.000 orchidées et ses 313 types
de cactus, cette collection compte parmi les plus
riches au monde. Plusieurs grands hommes politiques
des débuts de la république, dont Washington,
Jefferson et Madison, apportèrent leur soutien au
projet de création d'un jardin botanique national. La
première serre fut bâtie en 1842 pour abriter les
spécimens exotiques ramenés des Mers du Sud par
les explorateurs. Il reste encore des descendants de

quelques unes de ces plantes. En 1849, le jardin fut
installé définitivement à l'extrême-est du Mall sur un
site compris entre deux superbes paysages naturels.
A l'est, l'on trouve les pentes de Capitol Hill
aménagées dans les années 1870 par Frederick Law
Olmsted, à qui l'on doit encore Central Park à New
York. L'esplanade ouest du Capitole, avec ses
parterres et ses escaliers monumentaux, est l'œuvre
d'Olmsted, tout comme les réverbères monumentaux
qui ponctuent les espaces verts du Capitole. Au Sud
des serres du jardin botanique l'on peut admirer des
parterres géométriques fleuris qui sont un
merveilleux décor pour la fontaine spectaculaire
exécutée par Frédéric Auguste Bartholdi (auteur de la
Statue de la Liberté) à l'occasion de l'Exposition du
Centenaire de Philadelphie de 1876. L'éclairage
électrique a remplacé les becs de gaz qui à l'origine
illuminaient le pourtour de la vasque portée par trois
nymphes en bronze et qui faisaient de cette fontaine
le premier monument public illuminé au monde.
Outre Bartholdi Park, le jardin botanique comprend, à
l'ouest des serres, un jardin de démonstration de 1,2
ha où, tout au long de l'année, l'on cultive différentes
variétés de plantes utiles et de légumes.

Les **fusées du programme d'exploration spatiale américain** sont réunies dans la grande fosse du Space Hall, ainsi que le **télescope spatial Hubble**.

Les premiers succès de l'histoire de l'aviation sont représentés par d'anciens appareils, comme le **"Flyer" des frères Wright**.

NATIONAL AIR AND SPACE MUSEUM

Du fait qu'il attire chaque année plus de dix millions de visiteurs, le Musée National de l'Air et de l'Espace peut revendiquer le titre de musée le plus visité du monde. Le public vient plus nombreux ici qu'aux Capitole, Monument à Washington, Mémorial de Lincoln et Maison Blanche réunis. Ce musée retrace l'histoire étatsunienne de la conquête de l'air et de l'espace dans un bâtiment qui fut inauguré le 4 juillet 1976, à l'occasion du bicentenaire de la Déclaration d'Indépendance. Mais son intérêt va bien au-delà des frontières américaines car il traite de l'un des grands rêves de l'humanité: se libérer de la pesanteur et voler. L'édifice lui-même semble y parvenir car il s'étire le long du Mall sur 209 mètres, trois pâtés de maisons, avec une structure à la fois monumentale et aérienne. L'alternance de baies de marbre rose (le même que celui dont est construit la National Gallery of Art juste en face) et de baies vitrées teintées délimitent un espace clos et pourtant ouvert sur le Capitole, sur les autres musées situés de part et d'autre du Mall et... sur le ciel. L'immense espace intérieur du musée est divisé en vingt-trois galeries,

sur une surface de 18.600 mètres carrés. Dans le hall d'entrée, l'on est accueilli par des avions, des fusées et un vaisseau spatial: autant d'étapes de la conquête de l'air (d'où leur nom de "Milestones of Flight"). Il ne s'agit pour la plupart ni de copies ni de maquettes, mais de vrais appareils. L'on part du "Flyer" des frères Wright qui, en 1903, fit un vol de 59 secondes à Kitty Hawk (Caroline du Nord), pour arriver à le module spatial "Columbia" à bord duquel les astronautes Neil Amstrong, Edwin Aldrin et Michael Collins firent le voyage de la terre à la lune en 1969. La visite du musée réserve de merveilleuses surprises, comme le "Spirit of St. Louis" avec lequel Charles Lindbergh fit la première traversée de l'Atlantique (1927); le" Bell X-1", le premier avion qui franchit le mur du son (1947); le véhicule de réserve d' "Explorer-1", premier essai réussi de lancement d'un satellite américain (1958); "Friendship-7", le vaisseau spatial de la série Mercury à bord duquel John Glenn fit le premier vol orbital américain (1962); le "Gemini-4 EVA" qui emporta Edward H. White II vers la première sortie d'un Américain dans l'espace (1965); le prototype

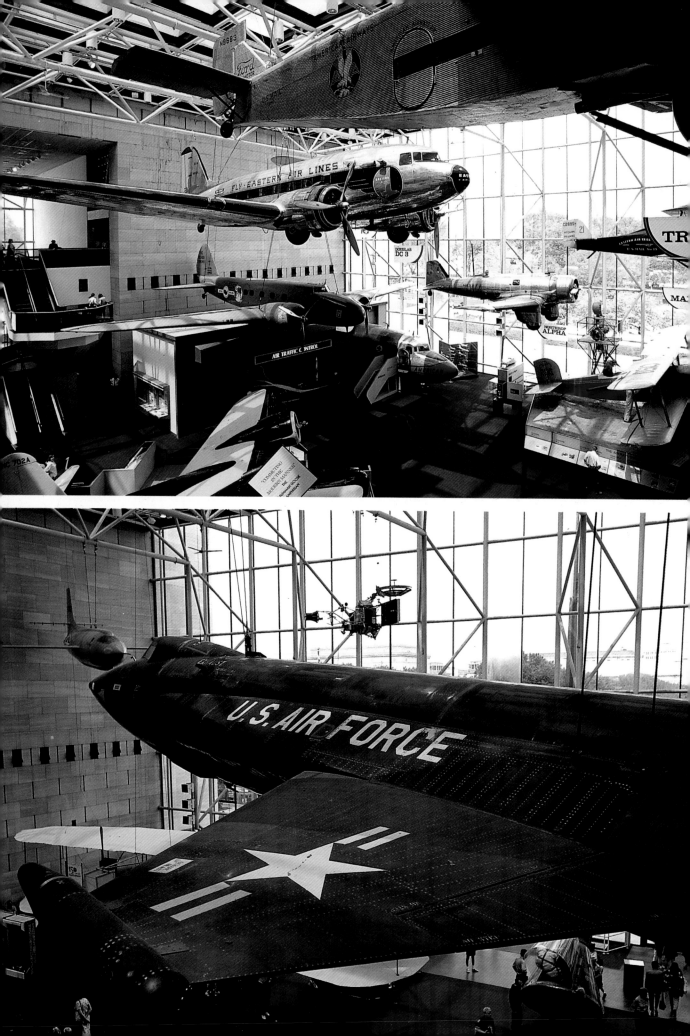

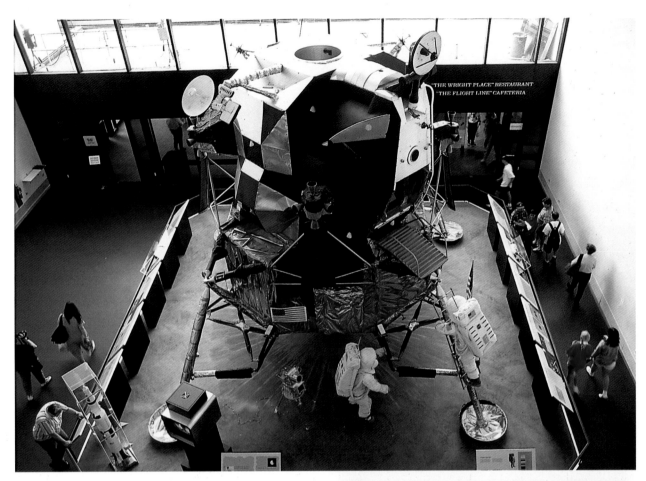

*D'anciens **avions de transport** (ci-dessus) et **de combat** (ci-dessous) retracent l'histoire de l'aviation au XXe siècle.*

*La collection d'engins spatiaux comprend **Apollo** (ci-dessus), le module de réserve du premier vol lunaire.*

de "Pioneer-10", premier engin spatial consacré à l'exploration des planètes hors du système solaire. Beaucoup plus petit que le plus petit de ces engins mais tout aussi passionnant, le fragment de roche lunaire ramené en 1968 par "Apollo-7" attire une foule de visiteurs car on peut le toucher. Les galeries qui s'ouvrent sur le hall d'entrée traitent de différents aspects du vol et des expositions interactives ("How Things Fly"), elles aussi consacrées au vol, s'adressent à tous les âges.

Le coup de fouet donné à l'aéronautique par les deux guerres mondiales est évident lorsque l'on découvre la grande collection d'appareils d'époque. La galerie "Where Next, Columbus?" présente quelques uns des défis que doit encore relever l'exploration spatiale. Le musée possède encore deux grandes attractions époustouflantes: l'Albert Einstein Planetarium, doté d'un projecteur Zeiss, Modèle IV, offert à l'occasion du Bicentenaire par le gouvernement allemand, et le Samuel P. Langley Theater, où l'on projette des films sur l'aviation et l'environnement sur un gigantesque écran.

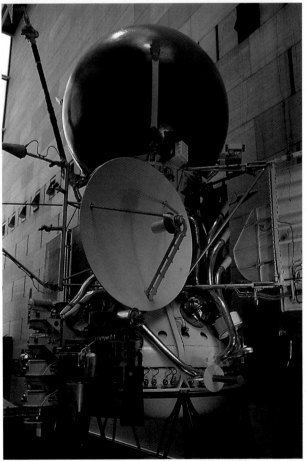

La statue **"Two-Piece Reclining Figure: Points"** d'**Henry Moore** (1969-70) se dresse devant la façade très originale du Hirshhorn Museum sur le Mall (ci-dessus). Dans la collection de tableaux modernistes du musée, (ci-dessous) les **"Delusions of Grandeur"** par **René Magritte** (1948).

Les **galeries circulaires** du musée présentent l'art du XXe siècle dans une perspective spéciale. Parmi ses chefs-d'œuvre (page suivante, à gauche) le **"Falling Warrior"** d'**Henry Moore** (1956-57) et (page suivante, à droite) la **"Column of Peace"** d'**Antoine Pevsner** (1954).

HIRSHHORN MUSEUM

L'art contemporain fit son apparition sur le Mall en 1974 avec l'ouverture du Hirshhorn Museum et de son Jardin des Sculptures. Très original, le bâtiment signé Gordon Bunshaft fit dès sa construction l'objet de mille controverses mais la valeur de sa collection lui valut vite une bonne place dans la vie culturelle de Washington. Joseph H. Hirshhorn, qui était né dans un ghetto letton, fit fortune en Amérique où il était arrivé à l'âge de six ans (à 28 ans, il était pluri-millionnaire). Grâce à sa fortune et à sa passion, il constitua la plus grande collection d'œuvres d'art accumulée par un particulier: 4000 toiles et 2000 sculptures. Dans les années qui suivirent la Deuxième Guerre Mondiale, quand New York était la place mondiale du marché de l'art contemporain, Hirshhorn acheta un nombre prodigieux d'œuvres pour compléter une collection alliant déjà quantité et qualité. Ces caractéristiques distinguent également le cylindre de béton qui constitue la structure du musée où se tiennent régulièrement des expositions spéciales et un festival de cinéma.

*Dans un cadre verdoyant, le **Hirshhorn Sculpture Garden** présente de nombreuses sculptures, comme (en sens horaire du haut à droite) le ''Grand Cardinal debout'' (1954) et ''Adolescente sur une chaise'' (1955) par Giacomo Manzù; les ''Bourgeois de Calais'' (1884-89) par Auguste Rodin; ''Cheval et cavalier'' (1952-53) par Marino Marini; l'''Homme poussant une porte'' (1966) par Jean Robert Ipousteguy.*

*L'''**Action enchaînée du monument à Louis Auguste Blanqui''** d'Aristide Maillol** (1905-06) illustre les débuts du modernisme*

HIRSHHORN SCULPTURE GARDEN
ET AUTRES MUSEES D'ART DE LA SMITHSONIAN INSTITUTION

Dans une ville où l'on se sent souvent dominé par des statues dressées sur un piédestal ou un fronton, le Jardin des Sculptures du Hirshhorn Museum ramène la statuaire à hauteur d'homme. Plus de 300.000 personnes sont attirées chaque année par ce jardin au bord du Mall avec ses pelouses, ses bancs, ses bosquets et ses dizaines de sculptures modernes. Aménagé sur deux niveaux, cet espace vert est une véritable invitation à la promenade, à la découverte et à la contemplation. Les œuvres d'art qu'il contient vont de la fin du XIXe siècle, époque à laquelle le modernisme commença à s'affirmer, aux années 1950 et 1960, époque à laquelle Joseph Hirshhorn s'affirma comme collectionneur hors pair. Malgré ses 5261 m^2 d'exposition à ciel ouvert, le Sculpture Garden ne présente qu'une partie des œuvres à trois dimensions de l'immense collection du musée. En face du bâtiment du musée - qui est lui-même une sculpture - l'on peut voir la ''Souris géométrique'' de Claes Oldenburg et le ''Sous-comité'', œuvre très ironique de Tony Cragg. Les salles circulaires du Hirshhorn Museum présentent des chef-d'œuvres signés Degas, Picasso, Giacometti, ainsi que des installations multimédia.La Smithsonian Institution compte encore d'autres musées d'art

spécialisés. La Freer Gallery abrite une collection originale d'art oriental et d'art américain du début du siècle, constituée par un industriel de Détroit, Charles Lang Freer (1854-1919). Sa collection de tableaux de James McNeil Whistler (1834-1903) est la plus importante du monde.La Sackler Gallery, créée en 1987 avec un fond d'une centaine de chef-d'œuvres d'art asiatique collectionnés par un médecin, Arthur M. Sackler, ne se limite pas comme la galerie précédente à présenter sa collection. Avec ses expositions temporaires d'œuvres empruntées à d'autres musées d'art asiatique et ses présentations d'artistes vivants, c'est un centre très actif pour l'étude de la culture asiatique à travers les siècles et dans différentes zones géographiques.Les traditions culturelles des quelque 25 millions d'Américains dont les origines se situent en Afrique sub-saharienne trouvent une expression dans les salles bien remplies du Museum of African Art. La collection permanente comprend les statuettes et les masques cérémoniels pour lesquels l'Afrique est mieux connue, mais aussi tous ces objets d'usage courant qui permettent à l'art de se fondre dans la vie quotidienne. L'on annonce l'ouverture prochaine d'un musée consacré à la culture des Indiens d'Amérique.

*Au XIXe siècle, les tours pittoresques du **Smithsonian Castle** se découpaient sur un paysage romantique avec ses bosquets, ses chemins ondoyants et ses quelques bisons.*

__James Smithson,__ aristocrate anglais qui ne foula jamais le sol américain, se dresse face à une avenue bordée de musées fondés grâce à son legs.

SMITHSONIAN CASTLE

Les musées et les instituts de recherche qui bordent le Mall (et dans leur ensemble, forment le Muséum National) doivent leur existence à un chimiste anglais qui ne foula jamais le sol américain: James Smithson, fils illégitime du premier Duc de Northumberland. Lorsqu'il mourut, en 1829, il légua toute sa fortune (104.000 livres sterling) en premier lieu à son neveu et en second lieu au gouvernement des Etats-Unis pour "que soit fondée à Washington, sous le nom de Smithsonian Institution, une société destinée à populariser les connaissances humaines". Six ans plus tard, son neveu mourut sans laisser d'héritiers. Il fallut neuf ans au Congrès américain pour accepter le legs de Smithson, mais le résultat de cette longue réflexion fut la création d'une institution illustre, essentiellement consacrée à l'histoire naturelle. Elle fut installée dans un superbe édifice néogothique dénommé "Smithsonian Castle". Construit en 1855 par James Renwick, ce château hérissé de tours s'harmonisait parfaitement avec les allées ondoyantes et les buissons pittoresques qui caractérisaient le Mall au milieu du XIXe siècle. Transférée d'Ecosse, la dépouille de James Smithson repose aujourd'hui dans l'institution dont il fut le fondateur.

Marbres et bronzes monumentaux évoquent les **formes brutales des camps de concentration** où les nazis firent périr des millions de personnes.

Réponse artistique à l'holocauste, les dessins de centaines d'enfants des écoles américaines (ci-dessus) tapissent les couloirs du musée; des **témoignages visuels des horreurs des camps** (ci-dessous) servent de toile de fond à la multitude d'objets personnels des déportés présentée ici.

U.S. HOLOCAUST MEMORIAL MUSEUM

Dans une ville où abondent les monuments, il en est un qui suscite des réactions vives et immédiates: le Mémorial de l'Holocauste qui, depuis son inauguration en 1993, s'affirme comme l'une des principales destinations des visiteurs de Washington. Dressé à l'ombre du Monument à Washington en surplomb du Tidal Basin (Bassin de Marée), le Musée Mémorial de l'Holocauste n'établit que difficilement une relation avec son environnement majestueux et les bâtiments rouge brique qui l'entourent (Auditor's Building et Bureau of Printing and Engraving). De l'extérieur il semble s'efforcer d'y parvenir mais, à l'intérieur, il met immédiatement les visiteurs face à la fonctionnalité rigide et brutale des camps de la mort nazis dans lesquels des millions de personnes, Juifs, opposants politiques, homosexuels, furent assassinées pendant les années Trente et Quarante. Le contraste entre la brutalité de la structure et la puissance de son contenu humain est frappant. Il présente des objets personnels des déportés, vêtements, chaussures, journaux et photos, ainsi qu'un des wagons utilisés pour transporter les Juifs polonais à Treblinka.

*La **silhouette du Monument à Washington** se dresse au-dessus de la ville, parée de blanc, de gris, de rose ou d'or selon le moment de la journée.*

*Dix fois plus grand que tous les obélisques classiques, le Monument à Washington (pages suivantes) est **la structure en maçonnerie la plus haute du monde.***

MONUMENT A WASHINGTON

Le cénotaphe érigé à la mémoire de Washington, Général de l'armée continentale, héros de l'Indépendance américaine et premier Président de l'Union est aujourd'hui encore la plus haute construction en maçonnerie du monde. Quand il fut terminé, en 1884, c'était la plus haute construction du monde. Avec ses 169 mètres, le Monument à Washington est deux fois plus haut que le Capitole et cinq fois plus que tout autre édifice de Washington - il est aussi dix fois plus haut que les obélisques égyptiens qui lui servirent de modèle. Qu'une construction aussi élégamment simple ait put avoir une histoire politique aussi compliquée constitue l'une des grandes ironies de Washington. En 1783, le Congrès Continental décida d'ériger une statue équestre de George Washington dans la capitale, où que celle-ci fût fondée. Pierre Charles L'Enfant pensa fort justement qu'elle devait être installée là où l'axe est-ouest venant du Capitole croise l'axe nord-sud venant de la résidence présidentielle. Mais lorsque Jefferson ficha un jalon à cet endroit, le sol s'avéra trop marécageux pour pouvoir accueillir une construction quelconque. C'est donc plus haut, et plus au sec, à 107 m au nord-est de l'emplacement indiqué par l'urbaniste que, le 4 juillet 1848, l'on entama les travaux. Une société privée, fondée quinze ans auparavant, fournit les fonds nécessaires pour commencer et un plan grandiose signé Robert Mills (à qui l'on devait la colonne monumentale érigée à la mémoire de Washington à Baltimore). Les difficultés commencèrent alors. A cause de problèmes financiers, l'on dut renoncer au mausolée circulaire prévu par Mills autour de la base du monument. Puis, la construction fut bloquée - à 47,5 mètres - par le vandalisme politique; des membres du mouvement patriotique et xénophobe des "Know-Nothings" dérobèrent un bloc de pierre d'époque romaine offert par Pie IX et reprirent la société de financement. Ensuite, ce fut la Guerre Civile. Autour de ce que Mark Twain appela "une cheminée d'usine écimée", l'on faisait paître le bétail. Lorsque les travaux reprirent, en 1876 avec le soutien du Congrès, le projet de Mills fut encore modifié. L'on décida en effet qu'une fois terminé, le monument devait respecter les proportions classiques - soit une hauteur égale à dix fois la base. Le résultat est la réplique parfaite d'un obélisque antique conçu pour un monde où les gens mesureraient plus de 18 mètres. A l'intérieur, les visiteurs peuvent y voir des pierres commémoratives offertes par différents Etats, pays étrangers et sociétés privées, en empruntant les escaliers (898 marches) ou... les ascenseurs.

REFLECTING POOL

Cet immense plan d'eau, qui s'étend sur plus de 600 mètres entre le Mémorial de Lincoln et le Monument à Washington, est un véritable spectacle et offre une des plus belles perspectives de la ville. Au loin, à 3,2 km, l'on voit le dôme du Capitole et, à mi-distance, la magnifique structure du Monument à Washington. Par beau temps, en regardant vers l'est à partir du Mémorial de Lincoln, on peut admirer la masse de marbre du Monument à Washington refléter une image presqu'irréelle sur une voile lisse que viennent froisser les jeux des enfants ou le passage des canards. De chaque côté, de belles avenues bordées d'arbres invitent à la promenade tandis que les jets d'eau, côté est du plan d'eau, retiennent les rayons de soleil et forment des gerbes d'arcs-en-ciel. La nuit tombée, l'image reflétée des monuments éclairés se mêle à celle de la lune et des étoiles. Reflecting Pool fut construit au début des années Vingt par l'architecte Henry Bacon qui, pour l'inaugurer, organisa pour ses amis une course nocturne de bateaux fleuris. Ces dernières années, les eaux du bassin ont reçu des centaines de bougies flottantes allumées en mémoire des victimes du SIDA.

Immense bassin ouvert sur le ciel, **Reflecting Pool** *semble former avec la flèche du Monument à Washington un gigantesque cadran solaire.*

Les **formes architecturales qui bordent Reflecting Pool** *(ci-dessus) s'y reflètent en créant mille tableaux abstraits.* **Les promenades bordées d'arbres** *qui longent le bassin (ci-dessous) attirent les amateurs de cyclisme, de jogging et de marche à pied.*

VIETNAM VETERANS MEMORIAL

Les fleurs, les lettres, les photos et les souvenirs déposés ici par les visiteurs donnent au mémorial de la Guerre du Vietnam une spontanéité émotionnelle unique dans une ville qui pourtant déborde de monuments et de mémoriaux. C'est le plus visité de tous les sites du Mall. Comme la guerre qu'il remémore, c'est également le plus controversé. Lorsque le concours fut remporté par Maya Ying Lin, une étudiante américaine d'origine chinoise de la Yale University, les critiques furent consternés. Au lieu du monument héroïque en marbre blanc qu'ils attendaient, elle leur donna un fossé en V, noir, creusé dans le sol. Ils n'y virent que l'expression d'un lugubre défaitisme tandis que pour elle, c'était un symbole de régénération. "Si vous taillez la terre avec un couteau" avait-elle dit "au bout d'un moment l'herbe vient remplir le trou". En longeant le "mur", l'on s'enfonce et l'on découvre le nom des 50.000 Américains tués pendant la guerre, puis l'on ressort à la lumière.

KOREAN WAR VETERANS MEMORIAL

Un mémorial d'un réalisme documentaire: dix-neuf soldats marchent vers le drapeau américain qui flotte en haut d'une colline. Leur arme d'appartenance (ils sont quinze de l'Army, deux Marines, un de la Navy et un de l'Air Force), leur race et leur ethnie, leur âge, leur uniforme, leur matériel résument les divers faits historiques de l'engagement étatsunien dans la Guerre de Corée. Les soldats, sculptés par Franck C. Gaylord II, se reflètent dans le miroir noir d'un mur de granite qui accueille des centaines de visages - ingénieurs, médecins et infirmières, aumôniers, personnel d'intendance - issus des registres du Ministère de la Défense qui comptent plus de 2500 photos.

*Le **Mur de marbre noir poli** du mémorial (ci-dessous et à droite) porte le nom des 50.000 Américains tués pendant la guerre du Vietnam.*

*Le Mémorial de Lincoln qui termine le Mall à l'ouest se dresse tel un **temple dédié aux idéaux américains**.*

MEMORIAL DE LINCOLN

Ce mémorial, qui est l'une des images les plus familières de la culture américaine (il figure au dos des billets de 5 dollars), remplit toute une série de fonctions symboliques. Dressé à l'extrême-ouest du Mall - il fait pendant au Capitole qui domine l'autre extrémité de l'avenue - ce monument commémore le Président dont le destin fut de sauver l'union. Il remplit sa fonction avec force, en donnant à l'homme et à ses mots une présente physique inéluctable. L'immense statue de Daniel Chester French, réalisée en l'espace de treize ans, se compose de vingt blocs de marbre de Géorgie si habilement assemblés qu'ils semblent ne faire qu'un. Etrangement, cette masse de près de 6 mètres de haut transmet un sentiment d'une grande humanité. Lincoln pensif est assis, un poing crispé l'autre détendu; le regard figé, semblant attendre un signe, une réponse. Les mots mêmes du Président martyr prennent forme et se concrétisent sur d'immenses dalles où sont gravés deux de ses discours (Gettysburg Address et Second Inaugural Address). Elément décoratif d'un paysage monumental, mémorial d'un président assassiné, traduction de faits et de mots dans la pierre, le Mémorial de Lincoln est aussi le symbole des luttes pour la défense des droits des citoyens. Il joua ce rôle pour la première fois en 1939, le jour de Pâques, quand - s'étant vu refuser l'autorisation de se produire au Constitution Hall - Marian Anderson accepta l'invitation de la Maison Blanche et chanta sur les marches du Mémorial de Lincoln devant une foule enthousiaste de 30.000 à 75.000 personnes. Le célèbre contralto américain d'origine africaine chanta encore à cet endroit le 28 août 1963 lors de la marche sur Washington quand 250.000 personnes vinrent jusqu'ici pour écouter Martin Luther King prononcer des mots simples: "I have a dream..." C'est encore ici, aux pieds de Lincoln que se tinrent les grands rassemblements pour les droits des femmes ou des homosexuels. Il fut construit, sur des marais asséchés, par Henry Bacon qui mit les formes et les éléments d'un temple dorique au service d'un édifice moderne dont il plaça l'entrée, chose inhabituelle, sur l'un des côtés les plus longs. Ses 36 colonnes représentent les Etats de l'Union à la mort de Lincoln. Sur les côtés de l'attique de style romain sont gravés le nom des 48 Etats qui composaient l'Union lorsque le monument fut terminé, en 1922.

Le quartier de **Foggy Bottom,** où se trouve le Ministère des Affaires Etrangères, se détache derrière les arbres sur cette vue aérienne du Monument à Lincoln qui fut construit sur d'anciens terrains marécageux.

Un sentiment de puissance mêlée de bonté émane de la **Statue de Lincoln assis** due à Daniel Chester French.

MEMORIAL DE JEFFERSON

Si Thomas Jefferson avait remporté le concours pour la construction de la résidence présidentielle (au lieu de James Hoban), les visiteurs du Mémorial de Jefferson qui se tiennent sur les marches de ce petit Panthéon pourraient, en regardant au-delà du plan d'eau du Tidal Basin, voir au loin une version de Villa Rotonda de Palladio avec sa coupole, à la place de la Maison Blanche. En effet, la perspective entre le Mémorial de Jefferson et la résidence présidentielle forme un axe nord-sud qui coupe l'axe est-ouest du Mall à hauteur du Monument à Washington. Depuis 1943, date à laquelle fut terminé le Mémorial de Jefferson, les occupants de la Maison Blanche peuvent ainsi voir de leurs fenêtres le monument dressé à la mémoire du troisième Président; une vue qui aurait certainement satisfait cet homme cultivé aux mille talents. Les plans qu'il dessina lui-même pour la nouvelle capitale prévoyaient de grandes promenades reliant les principaux édifices. Fort justement, lorsque John Russell Pope conçut son mémorial, il s'inspira des projets dessinés par le Président Jefferson lui-même pour la résidence présidentielle, la Rotonde de l'Université de Virginie et sa résidence de Monticello. La statue en bronze de Jefferson, par Rudolph Evan, se dresse au milieu du portique circulaire à colonnes ioniques où sur quatre panneaux sont inscrits les passages les plus forts des discours et des écrits du Président Jefferson. Les vues du Mémorial de Jefferson se découpant dans l'encadrement des cerisiers en fleur du Tidal Bassin sont devenues une image carte postale de Washington. Ceci est d'autant plus drôle que les cerisiers ne fleurissent qu'une dizaine de jours l'an (fin mars, début avril) et que leur présence ici a fait l'objet d'une vive polémique. Créé uniquement à des fins utiles, comme réservoir d'eau douce entre le Potomac et le Washington Channel, le Tidal Basin fut bordé d'arbres en 1912. Il s'agissait de cerisiers de Yoshino offerts par le Japon qui venaient remplacer une première cargaison qui avait dû être brûlée car infestée

*Dressé derrière les cerisiers de Potomac Park, au bord du **Tidal Basin**, le Mémorial de Jefferson est l'une des images les plus célèbres de Washington.*

d'insectes et de champignons. Après l'attaque japonaise de Pearl Harbour, en 1941, des vandales détruisirent de nombreux arbres. Puis, l'on décida d'arracher les cerisiers pour construire le Mémorial de Jefferson; mais lorsque les travaux commencèrent, des manifestants opposés à l'arrachage des arbres se couchèrent dans les trous et s'enchaînèrent. L'histoire se termina bien puisqu'en 1952, un nouvel envoi de jeunes plants du Japon permit de remplacer les anciens.

*Le Mémorial de Jefferson inclut des **éléments d'architecture romaine** - en particulier le plan circulaire du Panthéon - que Jefferson adopta souvent lui-même dans ses projets.*

*Les **colonnes ioniques** (ci-dessous) encerclent la **statue en bronze du Président Jefferson** (à droite) que Rudolph Evan représenta vêtu du manteau que lui aurait offert le patriote polonais Tadeusz Kosciuszko.*

IC MIND·O MAN

M NOT AN ADVOCATE FOR FREQUENT
HANGES IN LAWS AND CONSTITUTIONS.
T LAWS AND INSTITUTIONS MUST GO
ND IN HAND WITH THE PROGRESS
THE HUMAN MIND. AS THAT BECOMES
RE DEVELOPED, MORE ENLIGHTENED,
NEW DISCOVERIES ARE MADE, NEW
THS DISCOVERED AND MANNERS AND
NIONS CHANGE, WITH THE CHANGE
CIRCUMSTANCES, INSTITUTIONS
ST ADVANCE ALSO TO KEEP PACE
H THE TIMES. WE MIGHT AS WELL
UIRE A MAN TO WEAR STILL THE
T WHICH FITTED HIM WHEN A BOY
CIVILIZED SOCIETY TO REMAIN
R UNDER THE REGIMEN OF THEIR
BARBAROUS ANCESTORS.

Le **portique nord** (ci-dessus) constitue l'entrée cérémoniale de la Maison Blanche. **Andrew Jackson** (ci-dessous), héros de la Guerre de 1812, semble saluer au passage la résidence qu'il occupa comme Président de 1829 à 1837.

Le **portique sud** de la Maison Blanche (ci-dessus) inclut un accueillant balcon ajouté par le Président Truman. Les pelouses côté sud (pages suivantes) sont le théâtre de fêtes et de réceptions ainsi des atterrissages et des décollages de l'hélicoptère présidentiel.

LA MAISON BLANCHE

Les reportages et les journaux télévisés ont fait de La Maison Blanche l'une des images les plus célèbres du monde. Habitués à la voir à l'écran, les visiteurs qui la découvrent pour la première fois sont souvent surpris par sa taille modeste. Après tout, ce n'est qu'une villa qui au XVIIIe se trouvait à la campagne et qui aujourd'hui est au cœur d'une métropole. Lorsqu'en 1800, Abigail Adams s'y installa avec son mari John, deuxième Président américain, elle écrivit à sa sœur: ''La campagne alentour est romantique mais un véritable désert en ce moment''. La résidence présidentielle, dont la construction avait été entamée en 1792, n'était pas encore achevée lorsque le couple s'y installa et Madame Adams utilisait la célèbre Salle Est pour étendre son linge. Le Président suivant, Thomas Jefferson, trouva l'édifice ''assez grand pour accueillir deux empereurs, un pape et le grand Lama''. Le projet qu'il avait présenté lui-même,

incognito, avait été supplanté par celui de James Hoban, un architecte autodidacte américain d'origine irlandaise. Pour compenser l'effet pompeux de l'édifice, Jefferson fit ajouter deux pavillons qui sont encore utilisés comme bureaux et locaux de service. Les occupants successifs de la Maison Blanche laissèrent eux-aussi des traces de leur passage. En particulier Harry Truman qui, en dépit des puristes, fit construire un balcon dans le portique hémisphérique sud; et Jacqueline Kennedy qui, après avoir débarrassé l'édifice de tout le mobilier qui y avait été accumulé en plus d'un siècle et demi, fit remeubler et décorer les salles publiques comme elles l'étaient au début du XIXe siècle. La Maison Blanche vécut son moment le plus dramatique en août 1814 lorsque les Anglais envahirent la ville et incendièrent la résidence présidentielle. Dolly Madison, la femme du Président restée seule dans la villa, n'en sortit indemne qu'au

Délimitée par les murs courbes du sud de la Maison Blanche, la
Salle Bleue *(ci-dessus) contient du mobilier de l'époque du
Président James Monroe. La* **Salle Rouge** *(ci-dessous), qui jouxtait
la bibliothèque où recevait le Président, servait de salle d'attente.*

Le **Bureau Ovale,** *situé dans une aile ajoutée par
Jefferson, a servi de pièce de travail à tous les présidents
depuis William Howard Taft en 1909.*

dernier moment après avoir sauvé "la vaisselle et
les pièces de valeur transportables appartenant à la
maison", ainsi que le portrait en pied de George
Washington, dû à Gilbert Stuart, encore visible dans
la Salle Est. Un violent orage sauva heureusement la
demeure de la destruction totale. Les travaux de
reconstruction durèrent quatre ans et James Hoban
fit même peindre les murs à la chaux, sans doute
pour cacher les traces de l'incendie. Le nom "White
House", utilisé dès le début pour désigner cet
édifice en grès de couleur crème, ne devint officiel
qu'en 1902.

La **statue d'Andrew Jackson** (ci-dessus) due à Clark Mills fut érigée en 1853. Il s'agit de la première statue équestre dessinée et moulée par un Américain. **Blair et Lee House** (ci-dessous) comptent parmi les belles demeures qui bordent Lafayette Square.

La statue dorée de Daniel Chester French représentant une Victoire Ailée coiffe le **First Division Memorial** de la Première Guerre, au sud de l'Old Executive Office Building. Près de là, **Octagon House** devança le Bâtiment Est de I. M. Pei avec son habile solution esthétique.

LAFAYETTE SQUARE

Cet espace, qui faisait autrefois partie des vastes terrains de la Maison Blanche, fut transformé en place par Thomas Jefferson. Elle prit le nom de Lafayette Square en 1824 pour célébrer le héros de la Guerre Révolutionnaire. Vers la moitié du XIXe siècle, elle devint un endroit à la mode comme en témoignent les immeubles élégants qui le bordent sur trois de ses côtés. En son centre, se dresse fièrement la statue équestre d'Andrew Jefferson, héros de la Bataille de New Orleans (1814); tandis qu'aux coins elle accueille des héros de la Guerre Révolutionnaire. C'est un lieu de rendez-vous des manifestants en tous genres.

BLAIR HOUSE

L'on a réuni deux maisons pour créer cette demeure où sont accueillis dignitaires et chefs d'Etat en visite à Washington. Construite en 1824, la véritable Blair House prit ce nom lorsqu'elle fut achetée par Francis P. Blair en 1837, ami du Président Andrew Jackson et fondateur du journal qui le soutenait, le "Washington Globe". Quant à la maison voisine, elle fut bâtie en 1859 par l'Amiral Philips Lee pour son épouse Elizabeth, fille de Francis Blair. Le Président Truman et sa famille habitèrent Blair House dans les années Cinquante, pendant les travaux de rénovation de la Maison Blanche.

OLD EXECUTIVE OFFICE BUILDING

Cet ancien bâtiment administratif (1875-1888) qui accueillit l'exécutif exhibe son éclectisme Second Empire et semble toiser tout son entourage, y compris le très sobre Treasury Building (Bâtiment du Trésor) qui lui fait pendant de l'autre côté de la Maison Blanche. Ce bâtiment - "le plus laid d'Amérique" comme l'aurait défini Mark Twain - fut le théâtre de la signature de milliers de traités quand il abritait le Ministère des Affaires Etrangères. Il servit aussi de siège aux Ministères de la Guerre et de la Marine avant qu'ils ne s'installent au Pentagone. Parmi ses bureaux actuels, figurent ceux du Vice-Président.

THE OCTAGON HOUSE

Commandée par le Colonel James Tayloe III, un gentleman virginien diplômé d'Eton et de Christ Church à Cambridge, la Octagon House (1800 env.) fut conçue par William Thornton, l'architecte amateur qui quelques années auparavant avait remporté le concours pour la construction du Capitole. Epargnée par l'incendie anglais de 1814, elle servit de résidence présidentielle provisoire à James et Dolly Madison et fut le théâtre de la signature du traité qui mit fin à la guerre. Elle appartient actuellement à l'American Institute of Architects.

CORCORAN GALLERY OF ART

Cette galerie, le plus ancien musée d'art des Etats-Unis, fut fondée en 1859 "pour encourager le génie américain". Objectif que William Wilson Corcoran poursuivit en ouvrant au public sa collection de tableaux, de sculptures et de moulages et en fondant une école des Beaux-Arts qui existe encore. La collection permanente du musée est consacrée à l'art américain tandis que son exposition biennale est axée sur la peinture contemporaine.

AMERICAN NATIONAL RED CROSS

Bâti sur un terrain du Domaine avec des fonds publics et privés, le siège de la Croix Rouge Américaine symbolise le statut mi-privé, mi-public de l'organisation. Il fut construit en 1913-1917 à la mémoire "des femmes héroïques de la Guerre Civile" dont Clara Barton, fondatrice de la Croix Rouge, qui s'était prodiguée en soins aux blessés dans tous les édifices publics à travers la ville.

CONSTITUTION HALL

Inaugurée par le violoniste Efrem Zimbalist, cette salle fut longtemps la seule vraie salle de concert de Washington. Avec ses 4.000 places, c'est encore la plus grande. Terminé en 1929, l'édifice fut construit par John Russell Pope pour accueillir l'association historique des D.A.R. (Filles de la Révolution Américaine). En 1939, celles-ci refusèrent la salle au contralto américain d'origine africaine Marian Anderson qui chanta en plein air devant le Mémorial de Lincoln.

ORGANIZATION OF AMERICAN STATES

L'Organisation des Etats d'Amérique, fédération des nations d'Amérique du Nord, Centrale et du Sud instituée en 1890 (la plus ancienne organisation du monde) a son siège dans un bâtiment de marbre blanc qui allie les styles de plusieurs cultures. Dans un cadre Beaux-Arts, il abrite un patio tropical au centre duquel se trouve une fontaine où sont réunis des motifs mayas, aztèques et zapotèques; des jardins aztèques et une galerie consacrée à l'art contemporain.

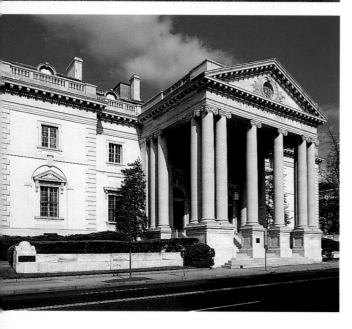

MEMORIAL D'EINSTEIN

Les jardins de la National Academy of Sciences abritent un monument à la mémoire du savant qui enseigna au monde qu'il fallait penser à l'espace et au temps en tant qu'espace-temps. La statue en bronze d'Einstein, due à Roberts Berk, le représente, trois fois plus grand que nature, assis sur un banc de pierre. A ses pieds, une carte du ciel circulaire s'étend sur une dalle de granite gris perle de 8,5 mètres sur laquelle plus de 2700 clous représentent le soleil, la lune, les étoiles, les planètes.

*Les façades classiques de la **Corcoran Gallery**, de la **Croix Rouge américaine** et de **Constitution Hall,** tous situés dans la 17th Street, N.W., offrent l'un des spectacles les plus nobles de Washington.*

*L'**Organization of American States** (ci-dessus) occupe un édifice qui, comme l'organisation elle-même, réunit plusieurs cultures. **Albert Einstein** (ci-dessous) semble observer d'un œil relativiste les visiteurs des jardins de la National Academy of Sciences.*

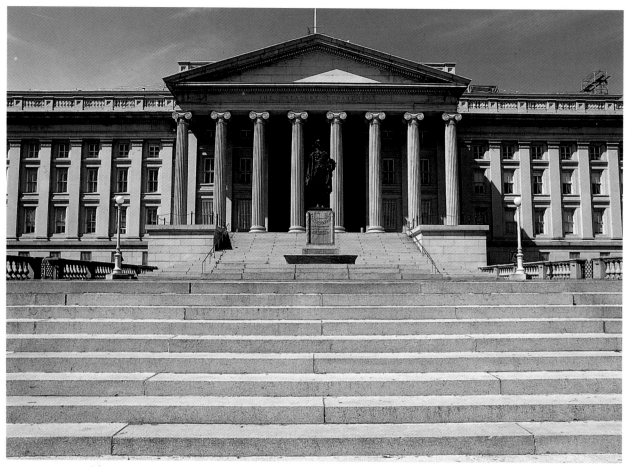

*La statue d'**Alexander Hamilton**, premier secrétaire du Trésor (1789-95), œuvre de James Earle Fraser, domine l'esplanade face à l'entrée sud du Treasury Building.*

*Entre le Capitole et la Maison Blanche (ci-dessus), **Pennsylvania Avenue** présente un résumé de l'architecture de Washington: des petits immeubles commerciaux de la moitié du XIXe siècle aux grands immeubles de bureaux, prodiges d'architecture moderne, comme le **FBI Building** (ci-dessous).*

TREASURY BUILDING

Le Président Jackson aurait déclaré: "Je veux que l'on mette la pierre angulaire ici" et c'est là que se dresse le Bâtiment du Trésor Américain, annulant la perspective que Pierre Charles L'Enfant avait prévue entre la Maison Blanche et le Capitole. Andrew Jackson voulut couper court aux interminables discussions politiques sur l'emplacement du bâtiment et réussir là où ses deux prédécesseurs avaient échoué. Un matin, il serait donc sorti de la Maison Blanche, venu jusqu'à cet endroit et, plantant sa canne dans le sol, aurait prononcé la fameuse phrase. La perspective en pâtit sans doute mais l'édifice de style grec qui se dresse ici est l'un des monuments les plus connus de Washington (il figure au dos des billets de 10 dollars). Robert Mills, qui avait dessiné les plans initiaux, résista assez longtemps aux difficultés politiques pour terminer la partie centrale de l'aile est. Le reste du projet fut réalisé, entre 1836 et 1869, par plusieurs architectes successifs. Les travaux récents de restauration ont permis à certaines salles, comme l'immense Cash Room, de retrouver leur splendeur passée.

PENNSYLVANIA AVENUE

Cette avenue appelée "America's Main Street" (la Grande Rue d'Amérique) relie le Capitole à la Maison Blanche et constitue le côté nord du Federal Triangle. Elle a été le théâtre d'innombrables parades présidentielles, manifestations et cortèges, célébrations de victoires et défilés funèbres. Elle est bordée d'édifices officiels au sud et d'immeubles qui semblent sortis d'un catalogue des styles du XIXe et du XXe au nord.

FBI

Pas de secrets ici. Le siège du Federal Bureau of Investigation clame sa présence avec un immense bâtiment austère érigé contre mille controverses en 1974. Dessinée par Stanley Gladych, qui adopta le "Style International" de Le Corbusier, la structure joue les contrastes entre la pesanteur du béton et une légèreté aérienne. Les blocs de bureaux sont suspendus entre des pylônes-tours.

*A l'intérieur comme à l'extérieur, l'originalité de l'**ancienne poste** permet d'oublier un temps la régularité des formes néoclassiques du Washington officiel.*

*Situé sur Pennsylvania Avenue, le **Navy Memorial** se dresse là où se tenait autrefois un grand marché à ciel ouvert.*

OLD POST OFFICE BUILDING

Les conformistes du néoclassique le haïssent, les amateurs d'anachronismes et d'architecture excentrique l'adorent. Parmi les édifices de style roman du Federal Triangle, le bâtiment de l'ancienne poste (1899) a une place à part. Avec sa tour - dont l'horloge a des aiguilles de 1,7 m et 2,3 m de long - elle surplombe ses voisins et est reconnaissable dans le ciel de ce quartier d'où que l'on soit sur Pennsylvania Avenue. L'extérieur de style roman, genre forteresse, cache l'une des premières constructions métalliques de la ville et un atrium aérien coiffé d'une immense verrière. Constamment menacé de démolition à partir de 1934, quand il n'abrita plus la poste, cet édifice ne put être abattu dans les années Trente et Quarante car les travaux auraient été trop importants et trop coûteux. En 1983, il fut entièrement rénové et connut une seconde jeunesse comme espace public. Aujourd'hui, employés de bureaux et lycéens remplissent sa cafétéria et les amateurs d'émotions se pressent dans les ascenseurs panoramiques pour monter au sommet de la tour de l'horloge, tandis qu'à l'étage l'on travaille dans les bureaux des Fondations Nationales pour les Arts et les Lettres.

MARKET SQUARE

Contenue entre deux superbes bâtiments néoclassiques construits en 1990, ce fut longtemps la place du marché. Elle accueillit les étals des marchands de légumes et des bouchers jusqu'à ce que, au cours de la première décade du siècle, le mouvement "City Beautiful" ne fasse pression pour déplacer ces activités peu esthétiques dans un endroit moins voyant. Pour les visiteurs d'antan, Market Street était un rendez-vous plein d'animation où chaque jour les tenancières des pensions voisines venaient faire leur marché. Aujourd'hui, deux portiques monumentaux embrassent cette place hémisphérique où des mats et une sculpture en bronze montent la garde devant le Mémorial de la Marine. Les édifices qui bordent la place - ils accueillent magasins, bureaux, restaurants et habitations - s'harmonisent parfaitement avec les immeubles néoclassiques de Pennsylvania Avenue et contribuent à animer le quartier voisin de 7th Street surtout consacré à l'art et au spectacle. Enfin, la courbure des bâtiments participe à deux des perspectives les plus grandioses de Washington, en remontant l'avenue vers le Capitole et en haut de 8th Street des Archives Nationales vers la National Portrait Gallery.

*Restauré récemment, le **Ford's Theater, où le Président Lincoln fut assassiné** en 1865, est à la fois un mémorial et un véritable théâtre.*

*Avec son mobilier d'époque, dont certains objets n'ont jamais quitté la maison, **Petersen House** semble figée au 15 avril 1865, jour où le Président Lincoln y mourut dans une **simple chambre à coucher** (ci-dessous).*

FORD'S THEATER

L'on était le 14 avril 1865. La Guerre Civile s'était terminée cinq jours plus tôt, à Appomatox (Virginie), avec la reddition du Général Robert E. Lee au Général Ulysses S. Grant. Au Ford's Theater, une salle ouverte deux ans plutôt sur la 10th Street, l'on donnait la dernière de ''Our American Cousin'', la pièce de Tom Taylor. L'un des premiers rôles étant joué par Laura Keene, la célèbre actrice dont le Président Lincoln était un fervent admirateur. L'affiche annonçait donc la présence d'Abraham Lincoln, ainsi que d'un acteur qu'il avait applaudi deux fois dans cette salle, John Wilkes Booth. Au début du deuxième acte, Booth qui connaissait bien le théâtre, s'introduisit dans la loge du Président et, profitant d'une explosion de rire du public, visa Lincoln à la tête et tira à bout portant. Sautant ensuite sur la scène, il annonça qu'il venait de venger la Confédération puis disparut dans la nuit. Le Président mourut le lendemain matin. Le Ford's Theater, qui après des travaux a retrouvé l'aspect qu'il avait cette nuit-là, fonctionne normalement comme salle de spectacle. Son petit musée conserve l'arme du crime, les chaussures que portait Lincoln et d'autres objets.

THE PETERSEN HOUSE

C'est une maison en brique où, dans une petite chambre donnant sur la cour, le Président Abraham Lincoln mourut au matin du 15 avril 1865. Mortellement blessé la veille au soir de l'autre côté de la rue au Ford's Theater, Lincoln avait été transporté inconscient dans cette simple demeure; les médecins s'étant opposés à ce qu'on le ramène à la Maison Blanche sur une route mal pavée. Projetée sur la scène d'une tragédie publique, cette maison en enfilade avait été construite en 1840 par William Petersen, un émigrant suédois couturier de profession qui avait son atelier au premier étage et louait des chambres. La chambre en question était celle de sa fille Pauline, alors en pensionnat. Lorsque l'on entreprit de restaurer la maison dans les années Vingt, Pauline Petersen donna des renseignements très précis sur l'ameublement de sa maison. Aujourd'hui, on la visite telle qu'elle était alors: le petit salon où veilla l'épouse du Président, la pièce où le secrétaire de la guerre mena son enquête et la chambre à coucher où Lincoln mourut. Le lit actuel est une restitution mais l'oreiller ensanglanté est bien un de ceux qui soutinrent la tête du Président.

La **National Portrait Gallery** et le **Museum of American Art** ont été aménagés dans des salles qui ont vu se succéder le premier musée d'art de la capitale, un jardin d'hiver, un hôpital pendant la Guerre Civile, un musée des inventions brevetées, mais aussi bals et réceptions.

La façade monumentale du **National Building Museum.**

DOWNTOWN

NATIONAL PORTRAIT GALLERY

Monument d'une sobriété grecque dans une ville remplie d'excès romains, le groupe d'édifices qui accueillent la National Portrait Gallery occupe un site que Pierre Charles L'Enfant avait réservé pour un ''écrin consacré aux héros américains''; office que joue actuellement la galerie des portraits. Mais, avant cela, l'édifice abrita l'Office des Brevets et la Civil Service Commission. Il servit même d'hôpital pendant la Guerre Civile. Commencés en 1836, les bâtiments que leur architecte, Robert Mills, avait voulus robustes et à l'épreuve du feu, étaient les plus grands de tout le pays lorsqu'ils furent terminés en 1867 - l'équivalent du Pentagone pour le XIXe siècle. Avec ses colonnades, la Lincoln Gallery résume l'histoire des bâtiments. En 1865, le poète Walt Whitman la vit en fête pour le bal d'ouverture de la seconde présidence de Lincoln alors que quelques mois plus tôt, en compagnie de Clara Barton, la fondatrice de la Croix Rouge Américaine, il y avait soigné les blessés. La galerie accueille également les tableaux modernes de la collection du Museum of American Art, qui vit le jour comme National Institute, ici même, en 1841.

NATIONAL BUILDING MUSEUM

Ce musée montre comment un édifice taxé d'inutile et d'encombrant à une certaine époque peut se métamorphoser en trésor d'architecture. Après avoir participé à la construction du nouveau dôme du Capitole pendant la Guerre Civile, Montgomery C. Meigs, Directeur de l'Intendance de l'Armée de l'Union, fut chargé après la guerre de dessiner un bâtiment pour la distribution des pensions de guerre. Ainsi naquit cette version gigantesque en brique du Palazzo Farnese de Michel-Ange. À l'intérieur, l'on découvre l'un des espaces les plus époustouflants de Washington, un atrium à colonnades de 96 m de long, 35,5 m de large et 48,5 m de haut. Son immense verrière laisse filtrer suffisamment de lumière pour que l'on y voie clair l'hiver et assez d'air pour que l'on y soit au frais en été. Les colonnes corinthiennes qui soutiennent le toit - elles mesurent 4,5 m de plus que les colonnes colossales de Baalbek - sont sans doute les plus grosses colonnes romaines jamais construites. Restauré récemment, après un siècle de vexations dues aux critiques et à l'incurie, ce bâtiment accueille le National Building Museum, consacré à l'architecture sous toutes ses formes.

*L'intérieur du **National Building Museum** évoque de lointains souvenirs, la Rome antique et Michel-Ange.*

*Le **mémorial maritime au Contre-amiral Samuel F. Dupont,** de Daniel Chester French, où sont représentés la Mer, les Etoiles et le Vent, est au centre d'un des quartiers les plus vibrants la nuit tombée.*

DUPONT CIRCLE

Pour les nouveaux riches américains, les self-made-men de la fin du XIXe siècle, Dupont Circle était avec la Fifth Avenue de New York la scène de la réussite où il fallait construire sa maison, fonder une famille et se faire une place dans la société. L'imposition des revenus personnels et la Crise de 1929 mirent fin à la situation économique brillante qui permettait l'étalage du luxe, mais Dupont Circle conserva son patrimoine architectural. Ses superbes villas, hôtels et immeubles de grand standing accueillent maintenant des ambassades, des clubs privés, des organismes professionnels. Dans les années 1870, un groupe de promoteurs immobiliers (dénommé California Syndicate) avait aménagé les abords de la première place circulaire qui s'appelait alors Pacific Circle. Elle changea de nom en 1882 en l'honneur de Samuel Francis duPont, héros de la marine pendant la Guerre Civile et descendant d'une ancienne famille fortunée du Delaware dont le nom donna une certaine patine à l'argent neuf du quartier. Dans les années Vingt, la famille duPont elle-même commanda à Daniel Chester French (à qui l'on doit le Mémorial de Lincoln) la fontaine en marbre qui marque le centre d'un des quartiers les plus cosmopolites de Washington.

PHILLIPS COLLECTION

Dans ce musée, la première galerie d'art moderne d'Amérique, on se sent un peu chez soi. Les petites pièces invitent à une découverte intime de l'art et leurs sofas à une halte. Le dimanche après-midi, l'on y donne des concerts dans le salon de musique.
Ouverte au public en 1921, la Phillips Collection fut en fait l'habitation de Duncan et Marjorie Phillips, ses fondateurs. Mais ceux-ci, mus par leur générosité, n'habitèrent que peu de temps la maison construite en 1897 par le père de Duncan Phillips.
La collection est toute empreinte du goût personnel des époux Phillips: Giorgone, El Greco, Goya, Daumier, Thomas Eakins et Winslow Homer sont ici présentés à côté des artistes qui font la renommée du musée: Van Gogh, Monet, Bonnard, Gauguin, Klee, Braque, Picasso, Mark Rothko et Georgia O'Keefe.
La toile la plus célèbre est sans doute le "Déjeuner des canotiers" de Renoir.
Parmi le nombreux public auquel les Phillips présentèrent ces artistes modernes figurèrent de futurs membres de la Washington Colorist School.

La variété des styles et des époques des **demeures d'Embassy Row** en fait une célébrité de l'architecture.

Philip H. Sheridan, *Général de la Guerre Civile, occupe un point stratégique d'Embassy Row.*

EMBASSY ROW

À la fois héritage de l'extravagance de l'Age d'Or et vitrine de l'architecture moderne et post-moderne, Embassy Row est une belle rue qui longe Massachusetts Avenue, N.W., entre Dupont Circle et la Cathédrale Nationale. Nombre de ces édifices de luxe, qui accueillent à l'heure actuelle des délégations diplomatiques surtout du côté de Dupont Circle, furent construits entre 1880 et 1910. Leurs propriétaires? des magnats qui avaient fait fortune ailleurs mais étaient venus s'installer ici, à Washington, pour se donner une aura de noblesse et se rapprocher des couloirs du pouvoir. C'est une succession d'hôtels et de villas qui ressemblent à des châteaux de la Loire, des villas palladiennes et des palais de contes de fées. Parmi les exemples les plus frappants, figurent les ambassades de Massachusetts Avenue: celle d'Indonésie au N°2020 (Walsh-McLean House, 1903), d'Haïti au N°2311 (Fahnestock House, 1909), du Pakistan au N°2315 (Moran House, 1908), du Cameroun au N°2349 (Hauge House, 1906) et, au N°1606 de la 23rd Street, l'ambassade de Turquie (Everett House, 1914). Plus haut sur l'avenue, une série d'édifices bâtis spécialement pour les ambassades présentent plusieurs écoles d'architecture du XXe siècle; comme le bâtiment allusif et spirituel de Sir Edwin Lutyens (1927-28) au N°3100 qui abrite l'Ambassade Britannique, comme l'Ambassade du Japon de Delano et Aldrich (1931) au N°2520, comme la chancellerie moderniste et suave d'Olavo de Campo pour l'Ambassade du Brésil (1973) au N°3000 et le bâtiment post-moderne saisissant de Mikko Heikkinen et Markku Komonen de l'Ambassade de Finlande (1994) au N°3301. De l'autre côté de Massachusetts Avenue se trouve Sheridan Circle, une place centrée autour de la statue d'un héros de la Guerre Civile, le Général Philip H. Sheridan, que l'on doit à Gutzon Borglum dont l'œuvre sculptée la plus célèbre est également la plus grande que l'homme ait jamais tenté de réaliser: les bustes colossaux des Présidents Washington, Jefferson, Lincoln et Roosevelt sculptés dans la paroi du Mount Rushmore dans le Dakota du Sud. Theodor Roosevelt lui-même assista à l'inauguration de la statue du Général Sheridan en 1909. Dans cette rue qui brille par son éclectisme culturel, la touche la plus exotique vient certainement de l'Islamic Center, au N°2551. Bâti par le gouvernement égyptien en 1949 comme centre religieux destiné à tous les musulmans américains, le bâtiment est orienté vers La Mecque. Il contient de superbes décorations en mosaïques, des tapis, des marqueteries et des vitraux. Parmi les ambassades ayant un intérêt architectural, citons encore celle d'Allemagne (1964) et de France (1985), situées toutes deux dans Reservoir Road au nord-ouest de Georgetown.

*Du haut du Mount S. Alban, la **Cathédrale Nationale de Washington** domine la ville; il a fallu presque tout le XXe siècle pour la construire.*

*Chaque détail de l'**intérieur** de la cathédrale a été confié à des artisans formés aux techniques médiévales.*

CATHEDRALE NATIONALE DE WASHINGTON

Pierre Charles L'Enfant, le concepteur de Washington, avait pensé à "une grande église à l'usage de la nation... ouverte à tous". Son rêve ne fut réalisé qu'au XXe siècle. Entamés en 1907, les travaux de construction de la cathédrale nationale furent achevés en 1990. Bien qu'elle ait été bâtie sous les auspices de l'Eglise Episcopale Protestante, elle définit sa mission comme œcuménique. C'est ici que se sont déroulés les obsèques de nombreux héros nationaux et maintes commémorations; quant à ses chapelles, elles se sont prêtées aux offices religieux de plusieurs églises orthodoxes (Eglise de Serbie, de Syrie, de Russie, des Carpates et de Pologne). C'est aussi de sa chair que Martin Luther King Jr prêcha son dernier sermon dominical. La décision de ne pas construire la cathédrale dans le même style néoclassique que la plupart des bâtiments publics de Washington l'emporta à une voix prêt. Bâtie suivant les canons du style gothique anglais du XIVe siècle, avec des techniques de construction médiévales, la cathédrale nationale de Washington pourrait bien être le dernier grand édifice gothique construit dans le monde.

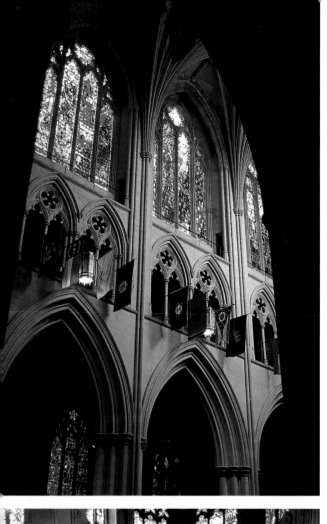

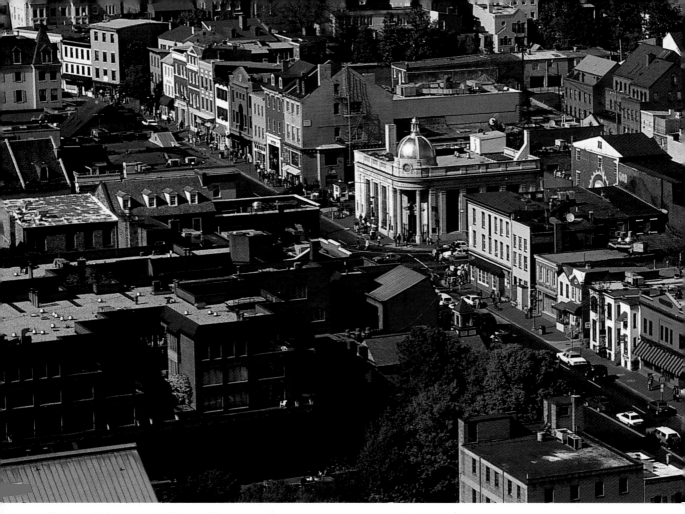

Cette vue aérienne montre bien que Georgetown demeure encore **une véritable ville au sein de Washington**.

Bordé d'anciens entrepôts et d'usines désaffectées convertis en immeubles élégants, le **Chesapeake and Ohio Canal** unissait autrefois Georgetown au "wild west".

GEORGETOWN

C&O CANAL

Quartier qui se distingue par son cachet, sa personnalité sociale et son architecture, Georgetown fut bien une ville. Fondée dans l'état du Maryland en 1751, elle précède de deux générations la création du District de Columbia et de Washington elle-même. Ce fut lors d'une réunion chez le Maire Urriah Forrest, au N°3350 de M Street, N.W., que les propriétaires fonciers de la zone se laissèrent convaincre par George Washington de vendre au gouvernement fédéral les terrains nécessaires à la construction de la nouvelle capitale, à l'est de la ville. Le "George" de Georgetown n'était pas George Washington mais Georges II, roi d'Angleterre (de 1727 à 1760), le père de Georges III qui reçut la Déclaration d'Indépendance. Comme les nouveaux arrivants s'installaient à l'ouest vers la Virginie, le Maryland et la frontière, Georgetown voulut développer son commerce dans cette direction mais la navigation sur le Potomac était empêchée par les Great Falls, les cascades situées juste en amont de la ville. La solution étant de construire un canal pour les contourner, à la fin de la Guerre Révolutionnaire, on lança un projet auquel de nombreux investisseurs

souscrirent, dont George Washington. Des restes importants de ce canal sont encore visibles à Great Falls Park, en Virginie. En 1828, un nouveau projet vit le jour: le C&O Canal (Chesapeake and Ohio Canal), un canal qui devait relier Georgetown à l'Ohio. Mais le temps que l'on creuse les 230 premiers kilomètres de canal, le chemin de fer l'avait supplanté et rejoint les marchés de l'ouest. Georgetown entra alors dans une phase de doux déclin tandis que, tout autour, la nouvelle ville fédérale croissait à vue d'œil. En 1871, Georgetown perdit son statut de ville à gouvernement indépendant et fut annexée à Washington. Le bureau des douanes (Customs House, 1857) du port qui avait été si important fut transformé en bureau de poste; même le nom des rues changea pour s'harmoniser avec le reste de la capitale. L'activité commerciale le long du C&O Canal se poursuivit jusque dans les années Vingt. Dans les années Quarante et Cinquante, attirée par son atmosphère coloniale, une nouvelle génération d'habitants redécouvrit Georgetown et en fit le quartier élégant qu'il est encore. Dernièrement, les entrepôts et les minoteries qui longeaient le canal ont été transformés en bureaux, magasins, galeries d'art, restaurants et immeubles.

OLD STONE HOUSE

Située dans Georgetown, cette maison en pierre est la construction la plus ancienne de Washington. Elle fut bâtie par un ébéniste, Christopher Layman, en 1766, soit une quinzaine d'années après la fondation de la ville de Georgetown. Les principales concessions foncières dans la région datent de 1703. Un Ecossais du nom de Ninian Beall obtint une concession qu'il appela "The Rock of Dumbarton"; quant à George Gordon, compatriote du premier, il s'installa sur une plantation à Rock Creek non loin de là. D'autres colons les imitèrent au cours des quarante ans qui suivirent, dont de nombreux Ecossais comme eux. Les échanges commerciaux - exportation du tabac des plantations de l'arrière-pays et importation des produits manufacturés et de rhum - nécessitèrent la création de la ville portuaire en 1751. A l'époque, Georgetown se trouvait sur la frontière ouest de la civilisation coloniale. Les humbles proportions et la fonctionnalité grossière de cette maison expliquent peut-être pourquoi en 1800 Abigail Adams, lorsqu'elle s'installa à la Maison Blanche qui n'était pas encore terminée, s'exclama «Quel endroit que ce Georgetown!... C'est le trou le plus sale que j'aie vu. Si c'est une ville de commerce où est la respectabilité de ses habitants». Les grandes "maisons fédérales" qui font la fierté de Georgetown aujourd'hui ne devaient être construites qu'à partir de 1796.

*Simple mais robuste, Old Stone House est la **construction la plus ancienne de Washington**. La maison fut l'**atelier d'un ébéniste** comme le montrent les outils et l'établi. Les **pièces d'habitation** évoquent la vie d'une famille américaine en 1766, époque où Georgetown se trouvait sur la frontière ouest.*

Une grande partie du charme de Georgetown lui vient des "maisons fédérales" bâties au début de la république; comme celles de **Cox's Row,** une rue qui s'appelait autrefois First Street.

Les hauteurs de Georgetown possèdent de superbes demeures du XVIIIe et du début du XIXe dont la plus ancienne est **Dumbarton House.**

MAISONS FEDERALES

Le pâté de maisons N°3300-3399 de N Street, N.W. (qui s'appelait autrefois First Street) est typique de l'architecture fédérale qui abonde à Georgetown. La simplicité géométrique et la sobriété des détails des "maisons fédérales" de Georgetown les distinguent de leurs consœurs géorgiennes d'Alexandria (en aval de la rivière), plus richement ornementées. "Cox's Row", comme on désigne ce pâté de maisons, fut construit entre 1815 et 1818 par John Cox, un négociant qui fut maire de Georgetown pendant 22 ans. En 1824-25, lors de sa dernière visite au pays qu'il avait aidé à se libérer, le marquis de La Fayette séjourna dans une de ces maisons, au N°3337. Dans l'échelle sociale, les habitations de Cox's Row étaient à mi-chemin entre les grandes demeures de luxe, comme Dumbarton House, et les simples maisons d'artisans et d'ouvriers. Jusque dans les années 1960, Georgetown fut surtout habitée par une population économiquement différente, dont une grande communauté d'Américains d'origine africaine. Fondée en 1816, l'Eglise Méthodiste Réunie Mount Zion serait la congrégation noire américaine la plus ancienne de Washington. Elle officie encore dans un édifice de la fin du XIXe siècle, au N°1334 de la 29th Street, N.W., à l'est de Georgetown.

DUMBARTON HOUSE

Bâtie vers 1798, elle est probablement plus ancienne que les autres grandes demeures qui couronnent les hauteurs de Georgetown; à savoir, Evermay (1801), Dumbarton Oaks (1801), Bowie-Sevier House (1805) et Tudor Place (1816). Comme la plupart des autres, Dumbarton House se trouvait autrefois sur une grande propriété, des terrains qui avaient appartenu à Ninian Bell. Cet Ecossais avait obtenu en 1703 une concession de 285 ha qu'il appela "The Rock of Dumbarton", en souvenir d'un château écossais en bordure de la Clyde. La propriété englobait la plupart des terrains sur lesquels Georgetown s'étend actuellement.
La maison que nous voyons aujourd'hui fut dessinée et construite par son premier propriétaire, Samuel Johnson. Joseph Nourse, qui avait occupé des postes importants sous Washington, Jefferson et Madison, acheta la propriété vers 1805. Il commanda de gros travaux de remaniement qu'il confia à Benjamin Henry Latrobe, un des architectes à qui l'on doit le Capitole.
Dumbarton House, accueille aujourd'hui la National Society of the Colonial Dames of America.

*Georgetown a toujours vécu du commerce. Les espaces marchands couverts de **Georgetown Park** (ci-dessus) ont du cachet, ils **réunissent petits commerces et structures anciennes** (ci-dessous). Georgetown est aussi une ville où il fait bon faire du shopping.*

*L'on a associé une évocation en **trompe-l'œil** de Georgetown au XVIIIe (ci-dessus) à de **vrais édifices** (ci-dessous) pour redonner à ce quartier son charme d'antan.*

GEORGETOWN PARK

Les garages, les alimentations, les pharmacies et les quincailleries que comptait autrefois la ville travailleuse de Georgetown ont désormais cédé la place, pour la plupart, à des galeries d'art, des antiquaires, des bars, des restaurants, des salons de thé, des boutiques de mode, des marchés de la gastronomie de luxe, des librairies. L'on a encore un témoignage du commerce d'antan avec Stholman's Confectionary Shop (fondée en 1854) dont l'intérieur fut transporté tel quel en 1957 d'un bâtiment qui existe encore au N°1254 de Wisconsin Avenue pour être reconstitué au Museum of American History sur le Mall. Les boutiques de la nouvelle vague se concentrent à Georgetown Park avec une série de bâtiments des années 1980 qui ont incorporé plusieurs édifices anciens pour créer un immense centre de magasins. Avec ses verrières, ses carrelages et ses éléments décoratifs en fonte, l'on dirait une galerie marchande européenne du siècle dernier. Parmi les structures historiques inclues dans Georgetown Park, citons une caserne de pompiers du début du XIXe siècle et un des tout premiers marchés publics de Washington.

KEY BRIDGE

Depuis 1923, les arches de ce pont enjambent le Potomac en un des plus beaux points de son cours. Key Bridge doit son nom à la demeure de Francis Scott Key. C'est cette maison que Key quitta pour s'embarquer le 12 septembre 1814 pour Baltimore et porter secours à un de ses amis prisonnier des Anglais. Tandis qu'il mouillait dans le port, Key assista au bombardement de Baltimore. Ce spectacle lui inspira l'hymne "The Star-Spangled Banner".

WASHINGTON HARBOUR

Les bâtiments industriels abandonnés du port de Georgetown cédèrent la place en 1986 à un centre commercial regroupant boutiques et magasins, restaurants, bureaux et immeubles, du nom de "Washington Harbour". Dessiné par Arthur Cotton Moore, ce complexe a merveilleusement ouvert plusieurs rues sur le fleuve. De la promenade, l'on a une superbe vue sur les rives verdoyantes de Roosevelt Island et vers le Kennedy Center. Par beau temps, il attire les washingtoniens qui viennent y amarrer leur bateau, s'asseoir à une terrasse pour dîner ou se promener.

GEORGETOWN UNIVERSITY

Son histoire, sa réputation, son équipe de basket, ses anciens élèves célèbres et son campus paysager attirent les visiteurs à l'Université de Georgetown.
L'origine de cette université, qui est le plus ancien institut catholique d'enseignement supérieur des Etats-Unis d'Amérique, remonte à une académie fondée en 1789.
Lorsqu'en 1842 Charles Dickens visita la colline située à l'ouest de Georgetown, il eut une bonne impression. Il remarqua le caractère œcuménique de l'institut et écrivit: "Les hauteurs dans cette partie de la ville, au-dessus du Potomac, sont très pittoresques".
Le Healy Building (1879), qui a pris le nom de Patrick Healy, un jésuite américain d'origine africaine qui fut recteur de l'université au XIXe siècle, domine tout le campus et la vue du Potomac.
Derrière sa façade de granite, l'université conserve d'anciens témoignages fédéralistes en brique rouge; en particulier, Old North Hall (1792-1793) où le Président Washington s'adressa aux universitaires. Plus de 10.000 étudiants fréquentent aujourd'hui l'université.

*Le lien historique qui unit Georgetown et le Potomac se matérialise par un pont, **Key Bridge** (ci-dessus), et un ensemble portuaire, **Washington Harbour** (ci-dessous).*

***Georgetown University** est l'établissement catholique d'enseignement supérieur le plus ancien des Etats-Unis. Elle jouit d'une position spectaculaire, d'une excellente réputation dans le monde académique et de la célébrité de son équipe de basket.*

*Le **Watergate Complex** (à gauche) et le **Kennedy Center** (à droite) s'élèvent au bord du fleuve dans le quartier de Foggy Bottom.*

*Les neuf arches du **Memorial Bridge** unissent le Mall au Cimetière National d'Arlington, en Virginie. Des **Statues des Arts de la Guerre et des Arts de la paix** flanquent le pont du côté Washington.*

KENNEDY CENTER ET WATERGATE

De vastes espaces publics, six salles de spectacle et une bibliothèque des arts du spectacle forment un ensemble vivant et animé dédié à John F. Kennedy. Bien qu'il eut été question de créer un centre culturel dans la capitale fédérale depuis les années Trente, pour le voir sortir de terre il fallut attendre l'assassinat d'un Président sensible aux arts. Cet ensemble, signé Edward Durrell Stone, fut inauguré en 1971. Le grand foyer, d'une longueur de 192 m et d'une hateur de six étages, est dominé par un énorme buste du Président Kennedy par Robert Berks. De nombreuses donations de pays étrangers enrichissent l'intérieur. Contrairement à nombre de grands ensembles immobiliers américains, le Watergate Complex, dessiné par un architecte italien, doit son nom à un endroit réel. Juste en aval du Potomac, se dresse en effet une grande porte là où l'Arlington Memorial Bridge rencontre Rock Creek Parkway: une immense arche de marches qui descend du Mémorial de Lincoln jusqu'au fleuve. Cette porte monumentale fut édifiée en 1931 pour accueillir les visiteurs de prestige qui arrivaient en bateau. Quant au Watergate Complex de 1971, c'est l'un des endroits les plus prestigieux de Washington; sans parler de l'affaire d'espionnage du même nom qui coûta la présidence à Richard Nixon.

ARLINGTON

ARLINGTON MEMORIAL BRIDGE

D'après Charles Moore, secrétaire de la Commission MacMillan, ce serait une vue des jardins de la Villa Borghese de Rome qui aurait inspiré les commissionnaires du pont à neuf arches qui relie le Mémorial de Lincoln au Cimetière National d'Arlington. Mais ce fut en fait un gigantesque embouteillage qui décida de sa construction. En 1921, le jour de la commémoration de l'armistice, le cortège officiel d'automobiles partit en direction du Cimetière d'Arlington mais dut attendre deux heures avant de pouvoir passer le pont de la Fourteenth Street. Les fonds nécessaires à la construction du pont dont on parlait depuis si longtemps ne se firent plus attendre et Memorial Bridge fut terminé en 1932. Les statues des Arts de la Guerre, de Leo Friedlander, et des Arts de la Paix, de James Earle Fraser, ornent le côté Washington du pont. Dessinées dans les années Vingt, elles ne furent installées qu'en 1951 grâce au gouvernement italien qui, en signe d'amitié, en offrit le coulage et la dorure.

La tombe de Jacqueline Kennedy Onassis (à droite)
jouxte depuis peu la **tombe de John F. Kennedy**
dans le Cimetière National d'Arlington.

Le **Tombeau du Soldat Inconnu** (ci-dessus)
domine les 200.000 tombes du Cimetière
National d'Arlington qui s'étend sur 170 ha.

ARLINGTON NATIONAL CEMETERY

Le portique dorique d'Arlington House (1803-1818), une grande maison de planteurs dont le nom est associé à celui des familles de George Washington et de Robert E. Lee, offre deux vues superbes: l'une de la ville de Washington et l'autre de deux siècles d'histoire américaine sous la forme des 200.000 tombes du Cimetière National d'Arlington. Les esclaves qui travaillaient dans la plantation construisirent la maison de maître qui fut habitée par George Washington Parke Custis, fils adoptif de George Washington. Robert E. Lee devint propriétaire de la plantation lorsqu'il épousa la seule fille vivante de Custis, Mary Ann Randolph Custis, en 1831. C'est dans son bureau d'Arlington House que le 20 avril 1861, Lee rédigea sa lettre de démission de l'armée américaine et proclama sa loyauté à la Virginie. Lorsque l'Armée de l'Union vint réquisitionner la maison pour en faire une place forte, la famille Lee s'enfuit; elle perdit la propriété trois ans plus tard parce qu'elle n'avait pas payé, en personne comme c'était la loi, les impôts des Etats-Unis. Entre-temps, Robert E. Lee était devenu commandant de l'armée rebelle. Transformée en

camp militaire, la propriété Arlington commença à servir de cimetière quand on y enterra un soldat confédéré mort en captivité. A la fin de la guerre, ses terrains qui couvraient à l'origine 85 ha, accueillaient déjà près de 5.000 tombes. Dont celles de 3.802 Noirs américains qui avaient fui l'esclavage et rejoint l'Armée de l'Union. L'on continua à y enterrer des soldats après que la famille Lee (qui entre-temps en avait repris possession) l'eut vendue au gouvernement fédéral. Aujourd'hui, le cimetière couvre 170 hectares. Des monuments rendant hommage aux soldats tombés pendant les différentes guerres font cercle autour du Tombeau du Soldat Inconnu érigé en 1931 à la mémoire d'un soldat tué pendant la Première Guerre mondiale tandis que des dalles de pierre commémorent les victimes inconnues des conflits récents. La tombe la plus visitée de cet immense cimetière est sans doute celle de John F. Kennedy qui n'est pas signalée par un monument en marbre mais avec les plantes préférées du Président assassiné et une flamme immortelle, face à la ville. D'autres membres de la famille Kennedy reposent également ici.

*Connu sous le nom d'**Iwo Jima Monument** (à gauche et ci-dessus), le Marine Corps War Memorial commémore un événement décisif de la Deuxième Guerre.*

*Les cloches du **Netherlands Carillon** célèbrent l'amitié du peuple hollandais pour le peuple américain.*

MARINE CORPS WAR MEMORIAL

En février 1945, pendant la bataille pour la conquête d'un îlot du Pacifique du nom d'Iwo Jima, un petit détachement de Marines monta en haut du sommet le plus élevé pour y planter le drapeau américain. Joe Rosenthal, un photographe de l'Associated Press originaire de Washington, fut témoin de l'événement et demanda aux soldats de poser en cet instant crucial. Cette photo qui le rendit immédiatement célèbre - il gagna le Prix Pulitzer la même année - inspira le sculpteur Felix W. de Weldon qui en fit un groupe. Il fallut trente-six études à l'artiste avant de parvenir au modèle final en 1951. Il modela d'après nature le visage des trois soldats survivants et, pour les autres, s'aida de photos. Cette statue en bronze mesure 24 mètres de haut. Elle fut inaugurée le 10 novembre 1954 à l'occasion du 179ème anniversaire du Marine Corps.

NETHERLANDS CARILLON

Dominant l'une des plus belles vues sur Washington, cet élégant clocher moderniste fut offert par les Pays-Bas aux Etats-Unis en remerciement de leur aide pendant et après la Deuxième Guerre mondiale. Ce clocher - dont le carillon de 49 cloches fut présenté par la Reine Juliana en 1952 et la tour en acier, de 38,7 m de haut, inaugurée en 1960 - semble inspiré de l'art abstrait du peintre néerlandais Piet Mondrian. Les concerts que l'on donne ici en plein air s'entendent de loin, par delà les parterres de tulipes et les eaux du fleuve.

PENTAGONE

Construit pour être le centre de commandement des forces militaires américaines dans le monde pendant la Deuxième Guerre Mondiale (seule la Navy opérait séparément), le bâtiment du Pentagone est encore le quartier général du Ministère américain de la Défense. Les chiffres de ce "bâtiment à l'intérieur d'un bâtiment" défient toute description: chacun de ses côtés extérieurs mesure 281 m et chaque côté intérieur 110 m; son périmètre extérieur est de 1404 m; il compte 7748 fenêtres, 28 km de couloirs, 372.312 m² de surface utile pour les bureaux, 150 escaliers, 280 salles de repos, 685 points d'eau potable, 4200 pendules, 85.000 appareils d'éclairage et ses parkings peuvent accueillir 9500 voitures. Autorisée par un acte du Congrès au milieu de la guerre, en 1941, la construction du bâtiment fut terminée en 1942. Il coûta 85.000.000 dollars. Son personnel est passé de 22.718 salariés en 1946, juste après la fin de la Deuxième Guerre, à 31.419 en 1952, pendant la Guerre de Corée. Plus de 20.000 personnes (l'équivalent de la population d'une petite ville) y travaillent actuellement. L'immensité de cet édifice a donné naissance à de véritables légendes. L'on raconte que des personnes s'y sont perdues et n'en sont ressorties qu'après des jours et des jours d'errance, comme ce garçon de courses qui, entré un vendredi, n'en ressortit que le lundi... avec un grade de lieutenant-colonel. Quand le Ministère de la Guerre quitta l'Old Executive Office Building (où il était arrivé après plusieurs sièges temporaires) pour s'installer au Pentagone, il laissa le plus grand immeuble de bureaux au monde du XIXe siècle pour trouver le plus grand du XXe siècle.

*Toutes les campagnes militaires américaines ont été commandées à partir du **Pentagone** depuis la Deuxième Guerre.*

*Le cœur historique de l'un des quartiers les plus anciens d'Amérique bat à **Market Square**, à Alexandria.*

*Avec ses **maisons du XVIIIe et du début du XIXe**, Alexandria est un trésor de l'architecture américaine.*

ALEXANDRIA

MARKET SQUARE

Fondée en 1748, trois ans avant Georgetown sa voisine, Alexandria, en Virginie, était comme elle un florissant port de commerce du tabac bien avant que l'on ne pense à construire ici la capitale. Tout jeune, George Washington participa au traçage des rues d'Alexandria qui devint vite le centre de la vie commerciale et sociale de toutes les plantations de la région, y compris de Mount Vernon. Market Square était au cœur de cette activité.

Au sud-ouest de la place se dresse Ramsey House (1749-51), la construction la plus ancienne de la ville. Près de là, Carlyle House (1752) fut le théâtre d'une réunion entre le Général Edward Braddock et cinq gouverneurs de colonies nommés par sa majesté; ils y organisèrent l'une des plus grandes campagnes de la Guerre contre la France et les Indiens (1753-1763). Juste à côté, la Bank of Alexandria fut fondée en 1792.

Au nord-ouest de la place, se dresse Gadsby's Tavern (bâtie en deux étapes, en 1752 et 1792) qui fut le quartier général de George Washington en 1754 quand il était lieutenant-colonel de la milice de Virginie, et où il passa ses troupes en revue pour la dernière fois peu avant sa mort en 1799.

VIEILLES DEMEURES

Tout comme l'architecture fédérale distingue Georgetown, le style géorgien caractérise Alexandria. Les rues de la vieille ville sont bordées de bâtiments raffinés: maisons, boutiques, auberges, écoles et églises datant de la fin du XVIIIe siècle et du début du XIXe siècle. "Gentry Row", la Rue de la Noblesse, qui va du N°200 au N°299 de Prince Street, exhibe de superbes exemples de cette architecture géorgienne. Un pâté de maisons plus loin, les demeures plus modestes de "Captains' Row", la Rue des Capitaines, bordent une rue pavée qui descend jusqu'au fleuve. Au bord de l'eau, des entrepôts de la fin du XVIIIe ont été transformés en boutiques et en restaurants. La Stabler-Leadbeater Apothecary Shop, avec ses bow windows caractéristiques, est l'un de ces rares commerces ayant survécu sans changement depuis 1792. L'on trouve également ici une brigade de pompiers dont les origines remontent à 1774. Parmi les nombreuses églises anciennes de la ville trône un véritable trésor: Christ Episcopal Church, construite entre 1767 et 1773. A l'intérieur, les fidèles peuvent lire le Credo et le Notre Père sur d'anciennes tablettes murales qui n'ont jamais été repeintes. Parmi les bancs, citons ceux qu'occupaient les familles de George Washington et de Robert E. Lee.

Le Masonic National Memorial abrite une
statue en bronze de George Washington.

L'architecte du mémorial s'est inspiré du
phare mythique d'Alexandrie d'Egypte.

MASONIC NATIONAL MEMORIAL

GEORGE WASHINGTON
MASONIC NATIONAL MEMORIAL

E rigé sur une hauteur qui fut autrefois proposée comme site pour construire le Capitole, le Mémorial National Maçonnique d'Alexandria (Virginie), abrite de précieux souvenirs de George Washington dans un édifice qui fut conçu pour évoquer l'une des sept merveilles du monde: le phare d'Alexandrie d'Egypte. Comme nombre des tout premiers grands hommes de la république, George Washington était franc maçon. Il fut en fait premier maître de la Loge d'Alexandrie, fondée en 1788, qui au cours des années recueillit una foule de souvenirs le concernant. De nombreuses pièces de la collection furent perdues en 1871 lorsqu'un incendie détruisit le premier siège de la loge, à Market Square. Ce qu'il en reste est exposé au mémorial, dans une réplique de l'ancienne loge du XVIIIe. L'on peut y voir le fauteuil à haut dossier en cuir dans lequel Washington officiait en qualité de grand maître, un canif dont lui fit cadeau sa mère, son compas de poche, la truelle d'argent avec laquelle il

posa la première pierre du Capitole, une lettre écrite quelques semaines avant sa mort (où il décline une invitation à un bal), les instruments ensanglantés utilisés pour tenter de le sauver et la pendule de sa chambre à coucher de Mount Vernon. Elle indique à jamais l'heure de sa mort: 10h20 le 14 décembre 1799. L'on y trouve également un portrait singulier de William Williams de Philadelphie qui représenta Washington six ans avant sa mort. Contrairement aux autres portraits à l'huile, plus célèbres, ce portrait aux pastels nous montre un homme âgé, le visage marqué par la petite vérole, une cicatrice sur la joue gauche et un grain de beauté derrière l'oreille droite. Une image bien différente de celle de la statue héroïque de Washington qui préside le grand hall d'entrée du mémorial. La pierre angulaire de cet édifice fut posée en 1923 avec la truelle d'argent utilisée par Washington pour inaugurer les travaux du Capitole. Financé par 3.200.000 maçons de tous les Etats-Unis, le Mémorial National Maçonnique fut inauguré en 1932. Sa tour s'élève à 122 mètres au-dessus de la ville et offre un superbe point de vue panoramique dans toutes les directions.

*La **maison de maître** (ci-dessus) tout autant que les dépendances et leurs **objets d'époque** (ci-dessous) font de Mount Vernon un musée de l'Amérique coloniale et un mémorial au premier Président des Etats-Unis.*

MOUNT VERNON

Dédié au commandant en chef de l'Armée Révolutionnaire et premier Président des Etats-Unis, Mount Vernon montre aux visiteurs ce qu'était la vie de George Washington avant que, comme nombre de ses pairs, il ne parte en guerre contre les Anglais et ne prenne une charge publique. Pendant toute son existence, George Washington désira revenir à cette vie rurale. La propriété de sa famille, qui couvrait à l'origine plus de 2.000 hectares, avait été concédée à son ancêtre John Washington en 1674. Ce fut Lawrence Washington, le frère aîné de George, qui commença la maison et lui donna le nom de son ancien commandant, l'Amiral Edward Vernon de la British Navy. Le terme "mount" vint de lui-même car la maison était bâtie sur une hauteur qui domine une vue splendide sur le Potomac. La large véranda et la coupole qui constituent les éléments les plus caractéristiques de la maison furent ajoutées lors de travaux d'agrandissement entamés en 1773 par George Washington. Les planches qui finissent cette maison, toute en bois, furent recouvertes de sable pour imiter la pierre. Un passage couvert à arches unit le bâtiment principal aux bâtiments de service. A l'époque de Washington, la maison de maître et ses dépendances formaient un noyau autonome. Ici, l'on filait et l'on tissait le coton ainsi que la soie, l'on coulait la cire pour faire des bougies, l'on battait le beurre, l'on vendangeait et l'on faisait du vin, l'on moulait le blé et le maïs. Pour couvrir les besoins de l'exploitation et de la propriété, il fallait alors plus de 200 esclaves que, par testament, Washington ordonna de libérer à la mort de sa femme. Près de la maison, l'on peut voir un jardin fleuri ou poussent encore des variétés du XVIIIe siècle, aménagé suivant un dessin original de Washington. Dans la maison de maître, qui contient encore du mobilier d'origine, l'on peut visiter Banquet Hall, un grand salon élégant aux plafonds d'inspiration Adam; la salle à manger familiale où Washington conviait à sa table une foule de visiteurs; la bibliothèque, avec le bureau et la chaise du Président; et les chambres du premier dont l'une contient le lit sur lequel George Washington s'éteignit. Un endroit ombragé en contre-bas accueille la tombe toute simple du grand héros américain.

*Les **jardins du XVIIIe siècle** (ci-dessus) et le **tombeau de Washington** (ci-dessous) appellent à la méditation et à la promenade dans un cadre qui compte parmi les plus visités d'Amérique.*

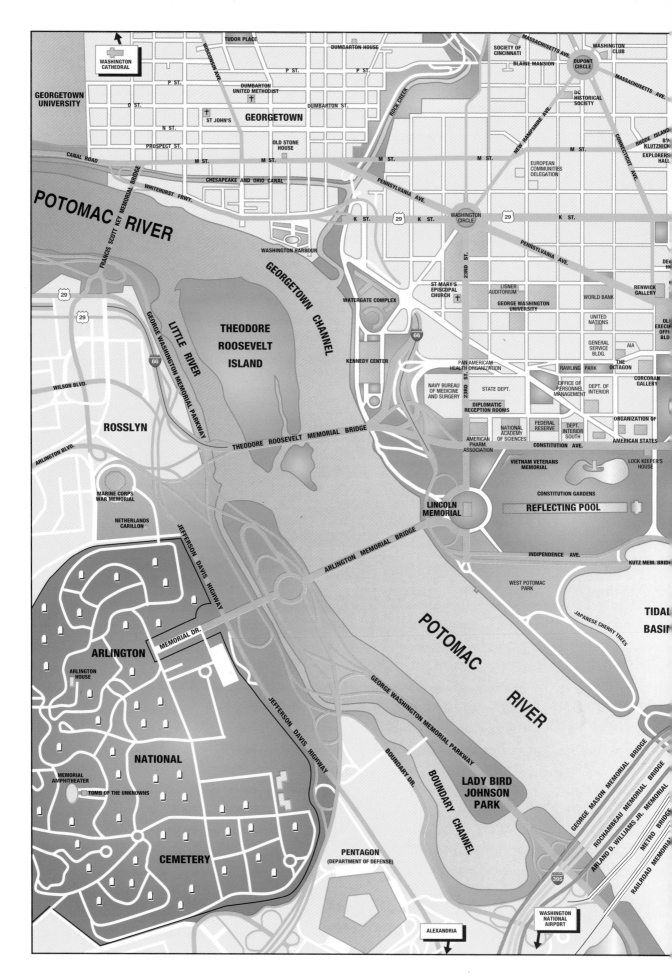

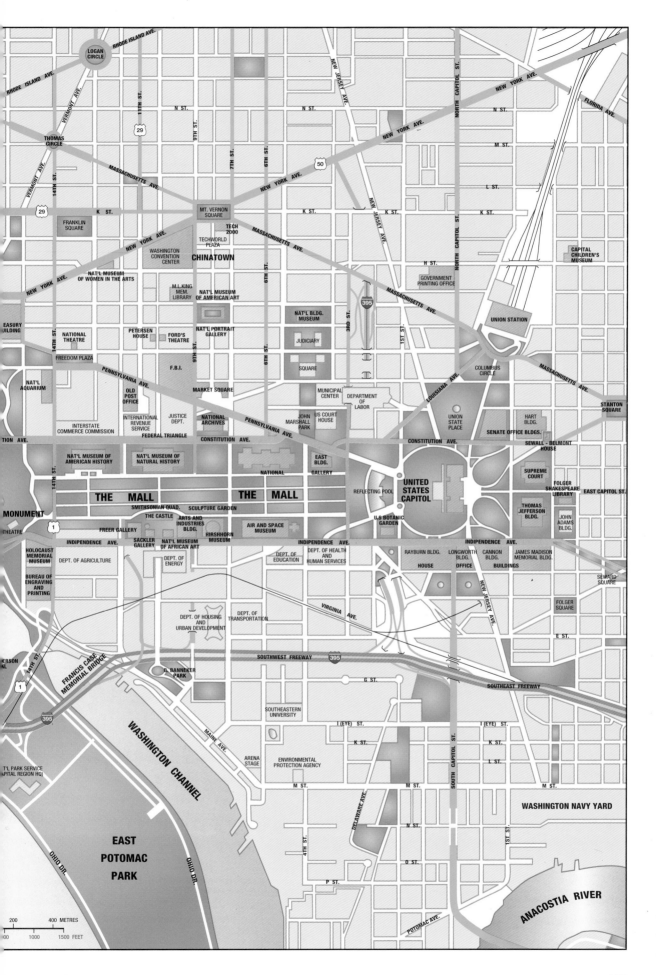

INDEX